ISLAMISTES

COMMENT ILS NOUS VOIENT

DU MÊME AUTEUR

Les Médias russes, La Documentation française, 1996.

Quand les médias russes ont pris la parole, L'Harmattan, 1997.

Chienne de guerre, Fayard, 2000, prix Albert-Londres, Le Livre de Poche, 2001.

Algérienne, de Louisette Ighilahriz, récit recueilli par Anne Nivat, Fayard - Calmann-Lévy, 2001.

La Maison haute, Fayard, 2002, Le Livre de Poche, 2004.

La guerre qui n'aura pas eu lieu, Fayard, 2004.

Lendemains de guerre en Afghanistan et en Irak, Fayard, 2004.

Par les monts et les plaines d'Asie centrale, Fayard, 2006.

Anne Nivat

Islamistes

Comment ils nous voient

Fayard

Je tiens à remercier Franz-Olivier Giesbert et Michel Colomès qui ont accepté que je parte faire ce reportage initialement pour l'hebdomadaire *Le Point*.

Un grand merci à l'ami Dominique pour sa préface.

Merci également à toute l'équipe éditoriale et de direction des éditions Fayard, mes alliés les plus fidèles, qui s'adaptent toujours à mes emplois du temps mouvementés.

Merci à Christophe Billoret et Thierry Gourdin pour cette belle couverture.

Enfin, je remercie Lucile, ma fidèle première lectrice. Comme tous les autres, ce neuvième livre a bénéficié de ses précieuses remarques.

À mon complice tant aimé.

PRÉFACE

Le travail d'Anne Nivat est très utile parce que, pour une fois, il inverse le regard. Ce ne sont pas les Occidentaux qui regardent et critiquent, ce sont les autres qui les regardent et réagissent à ce regard. L'Occident démocratique est maître des médias et certain de mener le juste combat contre le fondamentalisme. Mais les autres refusent ce schéma et réagissent au flot d'images et d'informations. Finalement, leur regard n'est pas plus tendre que le nôtre. Et chacun est persuadé d'avoir raison.

Comment est-on arrivé à une telle incommunication ? Comment, alors qu'il n'y a jamais eu autant de médias, y a-t-il si peu de compréhension ? Pourquoi l'accroissement considérable d'informations en l'espace de quarante ans, qui devait rapprocher les points de vue, les éloigne-t-il encore plus ? L'information occidentale, qui se voulait mondiale, est retournée à l'expéditeur et identifiée à un impérialisme. Comment sortir de ce face-à-face ? Ce n'est pas la « guerre des images », mais l'incommunication, rendue perceptible par la mondialisation de l'information.

Les Occidentaux ont naïvement voulu que le village global, c'est-à-dire la profusion de techniques et d'informations, crée un minimum d'intercompréhension et surtout favorise l'adhésion à leurs valeurs. Ils découvrent la tour de Babel ! Pourquoi ? Parce qu'ils ont longtemps cru que leurs valeurs seraient partagées par tous. Ils ont trop ignoré d'autres visions du monde qui, aujourd'hui, affichent leur hostilité au modèle démocratique et occidental, pas seulement dans l'ordre de l'information, mais aussi dans celui de l'organisation de la société. Avant de critiquer le regard porté sur nous par les islamistes, il faut d'abord comprendre comment notre regard sur le monde, largement dominant, a pu, sur la durée, être perçu comme une agression et nourrir l'hostilité actuelle. Le refus justifié du monde occidental à l'égard du fondamentalisme ne doit pas empêcher de poser cette autre question : ce qui a été dit et montré du monde arabo-musulman depuis quarante ans n'est-il pas aussi caricatural que ce que l'islamisme dit de l'Occident ?

Trois faits sont ici à rappeler. La fin du conflit Est-Ouest a simplifié la vision du monde en faveur de l'Occident. Auparavant, il y avait dualité et antago-

nisme. Aujourd'hui, l'horizon démocratique occidental semble à la fois le seul et le meilleur. Il est l'étalon, oubliant que capitalisme n'est pas synonyme de démocratie et qu'il existe plus d'une définition de la démocratie. Paradoxalement, la fin de la guerre froide n'a pas suscité une plus grande ouverture et tolérance. Le mouvement a été accentué par la mondialisation de l'information qui, de 1980 à 2000, s'est faite sur le mode occidental, surtout nord-américain. Ce processus a renforcé celui suscité par la mondialisation de l'économie : le besoin de préserver des racines culturelles. La mondialisation économique déstabilise en effet les identités culturelles, et ceci est encore accentué par la mondialisation de l'information. Les deux se renforcent et expliquent la montée de revendications d'identités culturelles depuis vingt ans. Voir l'autre en permanence renforce le besoin d'être soi. Le fondamentalisme n'est que la pointe visible et la plus haïssable d'un mouvement beaucoup plus complexe de réaffirmation des identités culturelles.

Le fameux triangle infernal du XXIe *siècle* – identité-culture-communication – *n'en est qu'à ses débuts en tant que défi politique. Après l'économie et la politique, il faudra que la mondialisation apprenne à gérer la diversité culturelle dont l'enjeu, rappelons-le, est encore aiguisé par la mondialisation de l'information.*

La reconnaissance à l'Unesco, le 21 octobre 2005, du principe du respect de la diversité culturelle par 146 États sur 154 présents, avec seulement deux opposants, les États-Unis et Israël, va dans le sens de ce respect des identités culturelles. Autrement dit, les excès de l'islamisme ne doivent pas faire oublier qu'au-delà de cet extrémisme on assiste à l'émergence d'une revendication pour le respect des identités culturelles. Ce qui se joue ici avec l'islamisme se jouera ailleurs à propos d'autres éléments culturels : langues, patrimoines, territoires, mémoires, religions, etc.

La reconnaissance de la diversité culturelle oblige à reconnaître la valeur de toutes les diversités. Ce n'est pas seulement celle des pays riches par rapport à la domination économique des industries culturelles américaines. C'est aussi celles de toutes les cultures, notamment du Sud, situées dans une double situation d'inégalité : vis-à-vis des États-Unis et vis-à-vis du reste du monde occidental. Or le monde musulman, dans sa dimension culturelle (et même si certains des États qui le composent sont très riches), se sent dans sa majorité lié au Sud, en tout cas insuffisamment valorisé sur le plan culturel et civilisationnel. Il est exact que, depuis un demi-siècle, il y a une sorte d'inégalité culturelle entre les trois monothéismes, au détriment de l'islam, dévalorisation que l'on ne retrouve pas du tout, par exemple, pour ce qui concerne les cultures et les civilisations d'Asie. Autrement dit, ce sont le plus souvent les musulmans qui se sentent doublement humiliés : d'abord par l'assimilation faite entre eux et les islamistes ; ensuite, par la caricature occidentale du monde arabo-musulman dont, finalement, l'islamisme serait à certains égards le vrai révélateur... Que diraient les chrétiens et les juifs si le reste du monde assimilait leurs extrémistes à l'essence de ces deux religions ?

L'enjeu pour la paix politique de demain consiste à tirer les conséquences de l'émergence de la culture comme nouvel enjeu politique. Comment respecter cette diversité sans la hiérarchiser ni la transformer en une juxtaposition de baronnies communautaires ? Peut-on faire cohabiter les cultures sans hiérarchie ? Oui, à condition d'être modeste. Ne pas croire que l'Occident détient finalement la vérité et le sens de la démocratie quand les faits, à l'échelle mondiale, relayés par les médias, montrent de manière flagrante les décalages entre valeurs et réalités. Admettre que les autres peuples et cultures ne partagent pas notre regard, comprendre leur vision du monde. Ne pas la hiérarchiser par rapport à nous. En un mot, reconnaître l'importance et, finalement, l'égalité de l'Autre. Cet Autre que toute l'histoire du monde entre le XVIIe *et le* XXe *siècle a contribué si fortement à hiérarchiser par rapport à l'Europe, puis à l'Occident dans son ensemble.*

L'Autre veut se faire reconnaître dans sa dignité. Il y aura de plus en plus de monde « sur les lignes » pour obliger les uns et les autres, et d'abord l'Occident, à admettre d'autres philosophies du monde que la sienne. Il sera d'autant plus facile pour l'Occident de ne pas lâcher sur les valeurs occidentales – qui, souvent, malgré erreurs et trahisons, restent néanmoins plus universelles que d'autres – qu'il aura fait preuve au préalable de plus de compréhension de l'Autre. L'Autre n'a pas toujours raison ; simplement, il a la même légitimité que nous. Apprentissage du dialogue, découverte de l'incommunication, obligation de se respecter et de trouver un terrain de cohabitation : la mondialisation économique, la fin du conflit Est/Ouest, les performances techniques de la globalisation de l'information sont une invitation, imprévue mais salutaire, à la reconnaissance de l'Autre.

Sur ce plan, les médias ont joué un rôle considérable. Ils ont accéléré la course du boomerang, la demande de reconnaissance et de légitimité. On avait conçu cette mondialisation – dont CNN fut le symbole à partir de 1980 jusqu'au début des années 2000, quand sont apparues d'autres chaînes d'information mondiales, notamment arabes – comme le moyen de diffuser plus facilement le modèle démocratique occidental. Ces mêmes médias ont trop longtemps été considérés comme des « tuyaux » chargés de transmettre le « bon » message. On avait tout simplement sous-évalué l'intelligence critique des récepteurs, et oublié l'effet de boomerang de nos propres caricatures de l'Autre.

L'Occident paie ici l'insuffisance de réflexion théorique sur le statut des médias et plus généralement de la communication, sur l'intelligence des récepteurs, la profondeur et la finesse des cultures non occidentales. Réduire le rejet actuel de l'Occident à une manipulation orchestrée par les islamistes serait encore faire preuve de réductionnisme, ne rien comprendre au sentiment de profonde injustice et d'humiliation ressentie notamment par les opinions arabo-musulmanes, leur besoin de respect et de dignité. Il suffit de voir comment l'Occident réagit violemment aux caricatures qui sont parfois portées sur lui pour entrevoir combien le monde arabo-musulman, depuis la fin de la Seconde Guerre mondiale, a été dans l'ensemble considéré comme une civilisation de « second ordre », incapable de s'adapter à la « modernité ». Et l'on s'étonne, au moment où les médias occidentaux atteignent une puissance technique et économique inégalée, amplifiant ces représentations, que celles-ci suscitent en retour une violence inégalée contre l'Occident. Violence qui n'a pas grand-chose à voir avec l'islamisme à laquelle on cherche à le réduire par manque d'analyse et d'ouverture d'esprit.

Communiquer aujourd'hui n'est donc pas à sens unique. Ce n'est pas seulement transmettre. C'est apprendre le temps et la difficulté de l'aller-retour. C'est d'autant plus compliqué que l'économie occidentale est, par ailleurs, de plus en plus obligée de tenir compte de la puissance concurrentielle des pays émergents. Ce sera encore plus difficile sur le plan culturel car, ici, il n'y a guère de hiérarchies. De la Charte de l'ONU de 1945 à la déclaration sur la diversité culturelle de 2005, c'est toujours le même horizon : si les hommes sont inégaux du point de vue de l'économie, de la société, de l'éducation, ils sont en revanche égaux du point de vue des cultures, des religions et des systèmes symboliques. Or les médias sont devenus la loupe des inégalités existantes en ces domaines.

Tout cela oblige à repenser théoriquement le statut et le rôle des médias dans tout projet de communication interculturelle. À les valoriser enfin au moment où beaucoup ont cru naïvement qu'Internet résoudrait tous les problèmes. À réfléchir à la complexité de la séquence communication-incommunication-cohabitation. *C'est aussi revaloriser l'importance politique et culturelle des théories de la communication, inséparables d'une philosophie de la société et, finalement, de l'homme. C'est enfin reconnaître l'intelligence critique des récepteurs et la nécessité d'entendre leur point de vue. Bref, c'est sortir d'une philosophie de la communication réduite soit à la performance des techniques, soit à la transmission, soit à l'information, soit à l'économie.*

Dans un monde ouvert et devenu transparent comme le nôtre, la communication est un processus nécessairement plus complexe que l'information. L'information, c'est le message, quel qu'il soit, alors que la communication, c'est la relation, rarement complémentaire, entre l'émetteur, le message et le récepteur. Au-delà de la mondialisation de l'information, on retrouve ici le rôle complexe, largement sous-estimé, des représentations, préjugés et stéréotypes à l'œuvre dans tout processus de communication. On croyait que l'information objective ou honnête allait réduire le rôle des rumeurs, représentations, stéréotypes et préjugés. Or il n'en est rien !

À partir de quand une information et une communication respectueuses de l'Autre peuvent-elles réduire le poids des stéréotypes ? La question est de plus en plus complexe. D'autant que la réponse implique de tenir compte de l'histoire des partenaires, et surtout de l'existence ou non de régimes démocratiques. Il est en effet certain que c'est surtout au sein de ceux-ci, grâce au pluralisme et à la reconnaissance de l'Autre, que l'on peut arriver le moins difficilement à une authentique cohabitation. Autrement dit, pour passer de l'information à la communication et à la cohabitation, il faut réunir deux conditions : des régimes démocratiques et l'apport des connaissances et des savoirs. En effet, nombre d'informations ne suffisent pas à créer davantage de communication s'il n'y a pas simultanément des connaissances, c'est-à-dire des écoles et des industries culturelles qui permettent d'apporter les savoirs nécessaires à l'interprétation des informations. Tout cela ne supprimera pas les préjugés, mais élargira les conditions d'une meilleure intercompréhension. C'est en cela que l'information et la communication sont toujours des questions politiques. C'est en cela que l'Occident, s'il devient respectueux de l'Autre, dispose, dans la difficile organisation de la communauté internationale, de réels atouts.

En fait, en passant de l'information à la communication, on va d'un monde dominé par l'Occident à un monde où il va falloir cohabiter avec de multiples systèmes de valeurs. Entre les deux, c'est le royaume des rumeurs, représentations et stéréotypes. Aussi bien dans les années 1960 avec le thème du village global, que dans les années 2000 avec le thème de la société de l'information, on a abordé cette question si compliquée de la relation et de la négociation avec l'Autre du point de vue le plus facile : celui de la technique. Après la révolution technique, l'histoire, la culture et les sociétés reprennent toute leur place. La question de l'islamisme et des islamistes n'est donc ici que le révélateur d'une question plus complexe qui se posera au niveau mondial : celui de l'organisation de la communication, c'est-à-dire de l'obligation de reconnaître l'Autre, de gérer avec lui l'incommunication, d'apprendre à négocier et construire avec lui la cohabitation.

C'est en cela que le travail d'Anne Nivat est essentiel. En s'interdisant, par grande culture professionnelle, tout jugement a priori, *et en nous faisant accéder à cette vision que les islamistes ont de nous-mêmes, elle nous force à réfléchir. Pas de paix, de tolérance, de communication sans être d'abord capable d'écouter, de comprendre l'Autre. Tel est le résultat inattendu et salutaire de la mondialisation : accélérer l'apprentissage de la cohabitation culturelle.*

Reste que tout cela ne saurait déboucher sur un relativisme culturel absolu. La vie internationale est heureusement régie par des valeurs humanistes démocratiques qui, même si elles ne sont pas toujours respectées par tous, constituent néanmoins notre seul horizon normatif pour éviter l'horreur que serait la guerre des civilisations.

Comment faire plus d'efforts pour comprendre l'Autre, et, réciproquement, comment faire pour ne pas céder sur un certain nombre de principes indispensables aux uns et aux autres ? C'est ici que l'on retrouve le chemin de la communication normative : moins partager ce que l'on a en commun qu'apprendre à cohabiter pacifiquement en dépit de ce qui nous sépare.

Dominique Wolton

INTRODUCTION

Pendant plusieurs semaines, à partir du 21 janvier 2006, une étonnante controverse a agité quelques pays européens et musulmans après la publication au Danemark, par un quotidien conservateur, d'une douzaine de caricatures « offensantes » envers les musulmans, l'une d'elles représentant le Prophète coiffé d'un turban en forme de bombe, surmonté d'une mèche allumée. Depuis cette parution, une flambée collective primitive mais profonde, tout à fait de nature à conforter la peur de l'islam et son rejet par l'Occident, a traversé l'Afghanistan, l'Indonésie, l'Iran, la Syrie, l'Azerbaïdjan, le Pakistan, le Cachemire et la Jordanie, mobilisant les foules jusqu'au Niger.

Par deux fois, à Téhéran, des individus enragés ont pénétré dans l'ambassade du Danemark ; en Syrie, des drapeaux danois, israéliens et américains ont été brûlés à plusieurs reprises, tandis qu'à Peshawar, non loin de la frontière pakistano-afghane, des milliers de musulmans manifestaient à l'appel du Parlement local dominé par les islamistes. Sur l'une de leurs banderoles peintes, on pouvait lire : « Insulter le Prophète, c'est insulter l'islam ! » En Afghanistan, les incidents sont allés jusqu'à provoquer la mort de sept personnes[1]. Même la petite Tchétchénie irrédentiste s'est jointe au concert des nations hurlant au blasphème : mardi 7 février, Ramzan Kadyrov, le Premier ministre du gouvernement tchétchène pro-russe, décidait d'expulser de Grozny le Conseil danois des réfugiés[2] (DRC), une des rares organisations non gouvernementales présentes dans ce pays et dans toutes les républiques avoisinantes depuis le début du second conflit, et parmi les plus efficaces. La colère enflant, des produits danois et norvégiens ont été boycottés (notons qu'en Arabie Saoudite de grandes

1. Mercredi 8 février 2006, à Qalat, la capitale de la province de Zaboul, trois personnes ont été tuées et dix-sept blessées dans des heurts avec la police qui a ouvert le feu contre une foule de quatre cents manifestants. Ceux-ci avaient assailli le quartier général de la police. La veille, l'attaque d'un camp de troupes norvégiennes de l'OTAN à Maïmana avait fait quatre morts et quinze blessés parmi les assaillants, et six blessés parmi les soldats norvégiens.

2. Ce Conseil est composé d'une trentaine d'organisations qui travaillent depuis 1997 avec les réfugiés dans cette république caucasienne gangrenée par la guerre.

enseignes commerciales françaises ont aimablement affiché à l'entrée de leurs magasins qu'elles ne vendaient pas de produits danois...), des représentations diplomatiques ont été saccagées et plusieurs pays, dont l'Iran et l'Arabie Saoudite, ont exprimé leur indignation « officielle », certains allant jusqu'à rappeler dans leur pays d'origine leur ambassadeur en poste à Copenhague.

Par-delà la polémique, le scandale des caricatures illustre à quel point, en matière d'islam, il est aisé d'étouffer la modération et d'oblitérer tout débat. Serait-ce parce que le « catalogue » de l'islamisme terroriste (attentats du 11 septembre 2001 à New York, ceux de mars 2004 à Madrid, et de juillet 2005 à Londres) a intensifié les amalgames et rendu encore plus floue la barrière entre musulmans ct islamistes ? Encore faudrait-il savoir ce que recouvre cette dernière notion. Selon la définition la plus communément admise, un « islamiste » est un partisan du retour aux sources de l'islam. À l'extérieur du monde musulman, cependant, le mot désigne un militant d'un islam politique perçu comme une dérive de l'islam religieux (soulignons que, du point de vue des milieux se réclamant uniquement de l'islam, cette distinction n'existe pas : l'islam a deux composantes, politique et religieuse, il est un).

Quoi qu'il en soit, de véhéments « islamistes » ont accusé la presse européenne, et les Occidentaux en général, de bafouer sans cesse la foi musulmane au nom de la liberté d'expression, de faire voter des lois contre les musulmans, qu'ils ne comprennent pas et auxquels ils ne pensent qu'à imposer leur vision du monde. Quant aux centaines de milliers de musulmans vivant en Europe, ils se sentiraient souvent traités comme des citoyens de seconde classe, voire des terroristes potentiels, dans des pays qui, selon eux, n'accordent pas l'importance qu'ils devraient à leur religion. Pour la frange la plus extrême, il est même de plus en plus tentant de se présenter comme des victimes de l'« islamophobie ambiante » ou de mesures « discriminatoires » concernant le logement et le travail. Certains Occidentaux, quant à eux, perçoivent ces minorités comme « menaçantes ». De part et d'autre, le ressentiment affleure et le discours se radicalise, comme le prouve un récent éditorial du quotidien hollandais *NRC Handelsblad*[1] affirmant que « dans les pays européens à forte et croissante minorité musulmane, grande est la crainte que, derrière la demande de respect (vis-à-vis de leur religion), se cachent d'autres intérêts : notamment la menace que chacun doive s'adapter aux lois de l'islam ». Alors qu'en Irak, au Pakistan, et en Afghanistan, les populations craignent exactement le contraire : qu'on impose aux musulmans de vivre sous la loi occidentale,

1. Cité par Alan Cowell dans le *New York Times* du 8 février 2006, « West Beginning to See Wide Islamic Protests as Sign of Deep Gulf ».

comme je l'ai entendu à maintes reprises pendant les entretiens qui ont nourri ce livre.

Pourquoi un tel embrasement ? Pourquoi, en Occident, les défenseurs de la liberté d'expression, et, en Orient, les chantres de l'islam, semblent-ils se hâter de donner vie au scénario du « choc des civilisations », ce raccourci simpliste défendu par l'essayiste américain Samuel Huntington[1] ? Fureur et cacophonie ont si bien envahi la sphère médiatique que les voix modérées ont été lentes à émerger. Début février, Tariq Ramadan, l'intellectuel suisse connu pour ses positions extrémistes (et dont, rappelons-le, l'entrée sur le territoire américain n'est toujours pas autorisée), tentait pourtant de calmer le jeu après en avoir déploré les débordements : « Des musulmans veulent des excuses, menacent de s'en prendre aux intérêts européens, voire aux personnes ; des gouvernements et des journalistes occidentaux refusent de plier sous les menaces, et certains organes de presse en rajoutent en publiant à leur tour les caricatures[2]. La majorité des populations du

1. *Cf.* Samuel Huntington, *Le Choc des civilisations*, Odile Jacob, 1997.

2. Le mercredi 8 février, l'hebdomadaire satirique français *Charlie Hebdo* a republié les dessins incriminés, triplant son tirage habituel. Après que 160 000 exemplaires du journal eurent été écoulés en quelques heures, l'éditeur procéda à deux retirages de 320 000 exemplaires supplémentaires.

monde observent ces excès avec perplexité : quelle folie mène le monde ? » questionnait-il, avant d'affirmer : « Il faut pourtant trouver les moyens de sortir de ce cycle infernal et de demander à tous et à chacun de cesser de jeter de l'huile sur le feu, pour enfin entrer dans un débat sérieux, profond et serein. Non, il ne s'agit pas d'un *clash* entre les civilisations ; non, cette affaire ne symbolise pas l'affrontement entre les principes des Lumières et ceux de la religion. Non, trois fois non. Ce qui est en jeu au cœur de cette triste affaire, c'est de mesurer la capacité des uns et des autres à savoir être libre, rationnel (croyant ou athée), et, dans le même temps, raisonnable[1]. »

Dans le monde arabe lui-même, plus rares encore étaient ceux qui se rangeaient du côté de la raison. Jihad Momani, journaliste jordanien et rédacteur en chef de l'hebdomadaire à scandales *Shihane*, publiait trois des caricatures danoises controversées, un choix justifié dans son éditorial intitulé « Musulmans du monde, soyez raisonnables ». « Qu'est-ce qui porte plus préjudice à l'islam : ces caricatures, ou bien les images d'un preneur d'otages qui égorge sa victime devant les caméras, ou encore un kamikaze qui se fait exploser au milieu d'un mariage à Amman ? » s'interrogeait-il.

1. Publié le mercredi 8 février 2006 sur le site www.oumma.com et dans la page « Rebonds » de *Libération*.

Poursuivi par l'État jordanien pour « atteinte au sentiment religieux », il était immédiatement jeté en prison où il risque de croupir trois ans[1]... En Égypte, un seul quotidien appelait à la modération : après avoir rappelé que la presse et les autorités danoises avaient présenté à deux reprises leurs excuses au monde musulman, Mohamed Abdel Salam, éditorialiste de la publication libérale *Nahdet Misr*, enjoignait à ses lecteurs de renoncer aux appels au boycott et aux menaces. L'important, soulignait-il, est avant tout de mieux faire connaître l'islam afin que tout amalgame avec le terrorisme soit évité.

L'émotion passée, ces caricatures et la manipulation potentielle de leur médiatisation démontrent l'extrême politisation de tout ce qui touche à la représentation du monde musulman en Occident. De même pour la représentation de l'Occident dans le monde musulman, ainsi qu'en témoigne ce livre. Depuis le début du XXe siècle, occidentalophilie et occidentalophobie se radicalisent dans les pays islamiques. L'apparition de nouveaux moyens de communication, tels que l'Internet et la télévision par satellite qui permettent de « voir l'autre » *de plus en plus* et *en temps réel*, a amplifié l'antagonisme. Le film du dynamitage des bouddhas de Bamiyan par

1. Pour plus d'informations, lire Claude Guibal, « Le monde arabe perd des plumes dans l'affaire Mahomet », in *Libération*, 8 février 2006.

les Taliban, ou les images de la destruction des tours de New York, démontrent avec force que la « guerre des images » fait aujourd'hui partie intégrante de la stratégie des terroristes anti-Occident.

Aujourd'hui, toute guerre passe *aussi* par une guerre des représentations, comme cela a déjà été le cas dans les mises en scène de décapitation d'otages, ou dans celui des émissions de télé-réalité occidentales copiées et adaptées localement. Pour les auteurs du 11-Septembre ou ceux de la prise d'otages de Beslan[1], « passer à la télé », c'est-à-dire tenir en haleine les médias du monde entier le temps d'un événement inouï, si meurtrier soit-il (et même s'il implique la mort des acteurs), répond au même besoin irrépressible que celui des chanteurs en herbe de la Star Academy ou des « lofteurs ». Il s'agit de devenir, ne serait-ce qu'une seconde, connu, afin d'exister aux yeux des autres. Avec l'essor de la globalisation et l'internationalisation de l'islamisme, le visuel, donc l'image, est devenu un des principaux modes de communication et de prosélytisme religieux et politique des sociétés musulmanes, importantes consommatrices d'images. Partout, que ce soit dans les souks de Bagdad, de Bassorah, ou sur les étals

1. Le 1er septembre 2004, un commando de combattants tchétchènes prenait en otages plus de mille cinq cents personnes, en majorité des enfants, dans une école de Beslan, en Ossétie du Nord (Russie).

des échoppes à Quetta ou Kandahar, les représentations en couleurs d'Oussama Ben Laden, du mollah Omar, de Ayman al-Zawahiri ou encore d'Abou Moussab al-Zarqaoui, côtoient, en terre chiite, celles d'Ali, le gendre de Mahomet, et de ses deux fils Hussein et Hassan.

Au grand dam de l'Occident, au cours des derniers mois, des mouvements « islamistes » qui avaient pour la plupart choisi la violence comme moyen d'expression ont gagné du terrain en remportant des élections « démocratiques » au Moyen-Orient. À l'automne dernier, les Frères musulmans ont obtenu 88 sièges à l'Assemblée du peuple égyptien qui en compte 144, et se sont imposés comme l'unique force d'opposition parlementaire. En Iran, 190 des 290 sièges sont occupés par des députés conservateurs. En Palestine, le 21 janvier 2006, les militants du Hamas ont battu le vieux mouvement nationaliste, le Fatah, et remporté haut la main les législatives. En Syrie où l'appartenance à la Confrérie est toujours punissable de mort, les Frères musulmans ont signé un texte commun avec l'opposition laïque et démocratique. Enfin, en Irak, à l'occasion des élections du 15 décembre 2005, les islamistes chiites ont raflé 128 des 275 sièges du nouveau Parlement. En dehors de ces partis politiques reconnus comme « islamistes », des millions d'individus qualifiés comme tels par nos médias – ou encore de « fondamentalistes », d'« intégristes », voire de « terroristes » – expriment dans leur vie quotidienne, comme ils le peuvent, leurs rapports avec l'Occident, souvent amers, parfois haineux, jamais simples.

C'est pour tenter de comprendre leur vision de l'Occident et des Occidentaux que je me suis rendue chez ces « islamistes » au sens large. Je les ai tous rencontrés, qu'ils grossissent les rangs des oulémas pakistanais ou ceux des Taliban afghans, voire des combattants irakiens du *djihad*, ou qu'ils soient de simples musulmans. Au risque d'être abusivement cataloguée « sympathisante », il m'a paru important de m'engager à les entendre tous – sans les juger – pour retransmettre leur parole. En effaçant momentanément ma propre vision du monde, j'ai tenté d'appréhender la leur. En me mettant simplement à leur place, il ne m'a pas fallu longtemps pour réaliser que ce qu'ils voient à la télévision (nous et nos mœurs, mais aussi, en maintes occasions, le regard que nous portons sur eux) les horrifie, tout comme nous sommes apeurés par les images de violences qui ont cours chez eux. Je n'ai pas tardé non plus à me rendre compte que la vision qu'ils ont de nous est tout autant nourrie de stéréotypes que celle que nous avons d'eux.

L'épisode des « caricatures » semble avoir montré que le fossé pouvait paraître incommensurable. Les attentats sanglants renforcent l'enfermement des uns et des autres. Je reste néanmoins convaincue que la seule solution reste le dialogue, qui commence justement par l'écoute mutuelle. Une gageure dans un monde où toutes les convictions circulent et se côtoient instantanément, schématisées à outrance, et où l'émotion prend souvent le pas sur l'analyse.

AU PAKISTAN

Dès l'arrivée à l'aéroport d'Islamabad, impossible de se dérober aux mesures de sécurité de l'administration pakistanaise : avant même le contrôle des passeports, il faut se faire photographier par des mini-caméras de l'Agence fédérale d'investigation, dont le logo et les méthodes ressemblent étrangement à ceux des autorités américaines chargées de la sécurité du territoire. Depuis le 11-Septembre, pour se donner bonne conscience, les administrations du monde entier, en particulier dans les aéroports, tentent de copier ce qui se fait de mieux en matière de sécurité aux États-Unis. Dans la file d'attente, un Américain et un Pakistanais de Londres, sans doute irrités par la mauvaise nuit passée dans l'avion bondé ainsi que par le décalage horaire fort déplaisant, se disputent haut et fort pour se faire photographier l'un avant l'autre. L'Américain soutient qu'il était là le premier, et cherche des témoins. Dans la file d'attente, nul ne prend parti.

Même à l'aube, en ce 11 septembre 2005, l'atmosphère est chaude et humide. Sur la route qui mène vers le centre-ville, en anglais et en lettres d'or, les mots « Foi, Unité, Discipline », côte à côte, à même le sol sur un flanc de colline, rappellent que le pays est soumis à la poigne rigide du général Pervez Musharraf, à sa tête depuis 1999. Blancs et lumineux dans la grisaille du petit matin, on distingue nettement, au loin, les hauts minarets de la mosquée Fayçal, ainsi baptisée en l'honneur du monarque saoudien qui en a financé la construction. Autobus et camions joyeusement décorés se pressent le long des artères, dépassant des cyclistes en *dishdasha* (longues tuniques traditionnelles de coton). On croise aussi de nombreux bus japonais, sans doute offerts par l'empire du Soleil-Levant (à en croire les inscriptions sur leurs flancs) à la ville d'Islamabad, véritable Washington DC à la pakistanaise, avec ses quartiers dénommés comme des cases d'échiquier, ses avenues tracées au cordeau et ses nombreux espaces verts.

En fin d'après-midi, l'appel du muezzin secoue la torpeur du quartier de Lal Majed (la Mosquée rouge) où officie Abdoul Rashid Ghazi. D'un pas décidé, des hommes se pressent vers les pimpants murs d'enceinte roses et blancs du complexe religieux. Quelques femmes entièrement voilées (couvertes d'un tchador noir à l'iranienne) leur emboîtent le pas. Pour se protéger de la pluie qui tombe déjà à grosses gouttes espacées, un vendeur de chaussures en vrac tire sa marchandise sous un arbre, entre deux flaques ; estimant qu'elle a encore le temps, une passante tend son pied pour essayer une sandale. En remontant un peu le pantalon de sous sa tunique, elle laisse apparaître une peau laiteuse. Des alarmes de voiture brusquement déclenchées hurlent à l'unisson et en cadence. Six minutes plus tard, la foule ressort en traînant les savates.

C'est maintenant à mon tour de pénétrer dans le complexe religieux pour rencontrer Abdoul Rashid Ghazi. Vice-directeur de la *medressah* Jamia Faridia (2 500 garçons) et Jamia Hafssa (3 000 filles), une des plus grandes du pays, Abdoul Rashid Ghazi est assigné à résidence depuis qu'en août 2004 il a été accusé par le gouvernement d'avoir fomenté, de mèche avec Al-Qaïda, des attaques-suicide contre la résidence officielle de Musharraf, le Parlement, l'ambassade américaine et le quartier général de l'armée. Âgé de 45 ans, l'homme, vêtu de blanc, à la barbe fournie et aux fines lunettes cerclées d'or, est assis en tailleur dans une pièce nue, face à un ordinateur à écran plat connecté à Internet[1]. La question de l'Occident enflamme immédiatement Ghazi :

1. Pendant notre entretien, il s'en servira à trois reprises pour imprimer des articles sur lui et sur son arrestation par les autorités, en 2005.

« Votre Occident, qui réunit en fait avant tout les intérêts de deux pays, les États-Unis et la Grande-Bretagne, nous accuse en permanence et de tous les maux. On entend déclarer qu'ici, au Pakistan, nous voulons que le monde s'en retourne à l'âge de pierre, que notre désir le plus cher est que le monde aille moins bien, et non pas mieux. Avec l'Occident, le dialogue est impossible. Nous ne nous comprenons pas. Tous les stéréotypes des Occidentaux sur nous, partisans de l'islam, ont resurgi depuis le 11-Septembre, et je conseille aux Occidentaux de cesser de se livrer à tous leurs calculs et supputations, comme après les attentats de Londres[1]. Si une bombe explosait à Islamabad et que l'on découvrait qu'un des terroristes a passé du temps dans un hôtel à Oxford, accuserait-on immédiatement la Grande-Bretagne ? » questionne-t-il, le coude enfoncé dans un coussin doré, un téléphone portable à portée de main. « En fait, cet Occident ne poursuit qu'un seul but : l'expansion de sa domination en choisissant des cibles très précises – on l'a vu avec l'Afghanistan, puis l'Irak où il est maintenant clair pour tout le monde que cet État ne possédait pas les fameuses "armes de destruction massive". Pour arriver à ses fins, l'Occident tue sans preuve, pour rien,

1. Ces attentats sont survenus dans le métro le 7 juillet 2005.

des milliers d'innocents, qui sont en grande majorité des musulmans. »

Le *maulawi* se met alors à dénigrer les médias internationaux, selon lui totalement biaisés, et dont la couverture des événements est forcément malhonnête. Il jette un regard furtif à l'écran branché sur un site en arabe et reprend :

« La guerre contre la terreur inventée par les États-Unis produit en fait une terreur accrue. La plupart de mes étudiants maîtrisant l'arabe sont déjà partis en Irak pour le *djihad*. Comment les retenir ? On ne peut laver les taches de sang avec du sang, or c'est ce que font les États-Unis. »

Quant à la réforme des *medressahs*, remise à l'ordre du jour après les attentats de Londres[1], elle amuse le religieux qui s'en moque ouvertement : « Nous, on ne fait que notre métier, c'est-à-dire produire des oulémas, des spécialistes de l'islam. Or, à cause de ce fameux *djihad* lancé contre les forces américaines,

1. Après les attentats du 7 juillet 2005 à Londres, lorsqu'on a découvert que trois des poseurs de bombes étaient d'origine pakistanaise et que l'un d'eux avait même suivi des études dans une *medressah* de Lahore, les autorités pakistanaises ont obligé les treize mille *medressahs* du Pakistan à se réenregistrer et à renvoyer dans leurs pays les étudiants étrangers. La plupart de ces mille huit cents étudiants étrangers viennent d'Afghanistan, d'Asie centrale, d'Asie du Sud-Est et d'Afrique. Un millier d'entre eux auraient obéi et seraient partis.

en cours depuis leur réaction au 11-Septembre, on nous demande de retirer de notre syllabus le concept même de *djihad*. Mais c'est parfaitement impossible, car le *djihad* est une composante primordiale de l'islam ! La plupart des Occidentaux l'interprètent mal et confondent *djihad* et terrorisme. C'est faux ! Si ton village est attaqué par des forces extérieures, tu es obligé de te défendre : voilà ce que nous appelons le *djihad*. C'est, en principe, une défense, mais l'offensive défensive est également autorisée. De même, nous défendons nos invités s'ils sont attaqués, cela va de soi », souligne-t-il (l'allusion à Oussama Ben Laden est à peine voilée).

« Pour combattre l'ennemi, on a reçu des instructions : ne pas tuer de civils, ni de femmes ni d'enfants. Ceux qui dérogent à cette règle commettent un acte anti-islamique que nous réprouvons (ce qui ne veut pas dire que ses auteurs ne sont pas musulmans). Nous autres oulémas n'accorderons jamais à quiconque le droit de tuer des innocents, mais ces gens-là ne demandent aucune permission ! Nous considérons qu'ils ont été conditionnés pour agir de cette façon-là. Et si les Américains continuent à tuer des innocents, leur nombre grandira. »

Après trois quarts d'heure, lorsque mon interlocuteur est davantage en confiance car il a vu que je l'écoutais attentivement, il signifie d'un signe discret de la tête à l'un de ses aides qui assiste à notre échange qu'il peut apporter du thé et des fruits. Quelques minutes plus tard, on pose devant moi deux assiettes de fruits frais coupés en tranches. Le *maulawi* n'y touchera pas et continue à parler sans discontinuer ; seule la sonnerie de ses téléphones portables nous interrompt (il en a un second qu'il sort de la poche de son *dishdasha.* Celui-ci est attaché à un imposant trousseau de clés). Abdoul Rashid Ghazi confie son pessimisme sur l'avenir des relations entre Occident et Orient. Suite à l'attentat de Londres, la *medressah* de filles qu'il dirige a été l'objet d'un raid de la police pakistanaise particulièrement musclé, puisque plusieurs jeunes filles ont été blessées, ainsi qu'une femme enceinte de l'administration de l'école. (Après ce raid, la police se serait même « excusée » pour son comportement brutal[1].)

Selon Ghazi, la haine de l'Occident a plusieurs degrés : « Pour le moment, elle n'est pas telle que les Occidentaux ne puissent plus se déplacer librement dans nos rues, mais cela pourrait arriver, prévient-il, car malgré ce que nous répétons dans nos sermons, à savoir que ce sont les gouvernements les responsables, notre population pense qu'un citoyen britannique ou américain soutient forcément son propre gouvernement. Cela

1. *Cf.* « Pakistan's Islamic Girl Schools », par Jannat Jalil, *BBC News*, Islamabad, 9 septembre 2005. Suite à ce raid, trois policiers auraient même été suspendus.

pourrait conduire à ce que l'on pose des bombes ou que l'on se fasse exploser à proximité des ambassades des pays en question... Souvent, après la prière, des jeunes, qui voudraient une extension du *djihad* me demandent pourquoi les Américains ont réélu Bush. Je ne sais que leur répondre. Ils me demandent s'ils doivent rejoindre le *djihad* en Irak. Ceux qui parlent arabe sont déjà partis depuis longtemps ; quant aux autres, je ne les retiens pas ici. Donc ceux qui tiennent à partir, partent. »

Les « islamistes » auraient-ils peur de l'Occident ?

« Pas du tout, rétorque le religieux en souriant ; loin de là ! On comprend même parfaitement les stratégies politiques occidentales. Bush sait pertinemment que nos *medressahs* ne produisent pas de terroristes, et Musharraf aussi, mais elles ont été étiquetées ainsi par commodité. Tous les kamikazes du 11-Septembre ont été éduqués dans des collèges et lycées. Ben Laden lui-même n'est pas un religieux, mais ingénieur de formation ! En fait, c'est de la notion même de *djihad* que l'Occident a peur, sans l'avouer directement. Au risque de perdre et de se perdre, les États-Unis devraient modifier leur politique, car notre système de défense au sein même de l'islam est si riche qu'il est invincible. Regardez ce qui s'est passé après l'invasion de l'Afghanistan par les Soviétiques. L'empire soviétique s'est dissous, et c'est exactement ce qui risque de se produire avec l'empire américain ! Aujourd'hui, ils perdent des soldats tous les jours en Irak ; ils ont perdu cette guerre et ne veulent pas se l'avouer. »

Quelle a été la réaction d'Abdoul Rashid Ghazi après les ignominieux attentats du 11-Septembre ? L'ont-ils surpris ? Pas du tout, si ce n'est par leur ampleur, répond-il. « Surtout, je ne m'attendais pas à ce que les États-Unis soient autant secoués. J'ai d'emblée condamné fermement cet acte, mais j'ai modifié quelque peu mon discours lorsque le gouvernement américain s'en est pris aux musulmans, les accusant de tous les maux. C'est toujours triste d'assister à la mort d'innocents, mais, je dois le reconnaître, je me suis dit à ce moment-là que, d'une certaine manière, les Américains méritaient cet acte. Et je ne suis pas le seul à penser ainsi en terre d'Islam ! L'Amérique est très clairement l'ennemi de l'islam, en tout cas depuis ces attentats. »

L'intervention en Irak n'aurait d'autre but que d'y instaurer la démocratie ? Voilà qui fait bien rire Abdoul Rashid Ghazi : « Cette histoire de démocratie, c'est de la poudre aux yeux ! Prenez le Pakistan, c'est l'allié officiel des États-Unis dans cette guerre ; nous sommes censés vivre ici en démocratie, or nous vivons sous une dictature ! Notre président a accédé au pouvoir par un coup d'État militaire, n'écoute personne et prend toutes les décisions lui-même[1]. Je suis sous le coup de quinze chefs d'accusation, et, si je sors d'ici, je me ferai arrêter sur-le-champ. Le pouvoir judiciaire pakistanais est aux ordres, bien évidemment ! », souligne-t-il. Certes, il aimerait que le Pakistan devienne une authentique démocratie, mais « pas à l'occidentale ». « Les États-Unis sont-ils eux-mêmes démocratiques ? Ils soutiennent un dictateur au Pakistan ! Ils ne veulent d'ailleurs en fait l'instaurer nulle part, cette démocratie, pas plus en Afghanistan qu'en Irak, où l'on voit bien que la stratégie la plus facile consiste à mettre à la tête du pays une marionnette pro-américaine. »

« Bien sûr que je déteste Musharraf », m'avoue Hafizullah, 32 ans, un Afghan qui a grandi dans un camp de réfugiés à Peshawar et qui me sert de chauffeur à Islamabad. Sur le siège arrière de sa voiture, le dernier exemplaire du magazine pro-Taliban *Srak* (la Flamme de l'aube), montrant en couverture la photo d'un bombardement américain dans la région afghane de Kunar où la résistance anti-américaine est la plus forte depuis septembre 2001. « Musharraf est tout aussi malhonnête vis-à-vis de son peuple qu'envers le peuple américain ; sa position est intenable, et c'est

1. À ce jour, huit tentatives d'assassinats contre Musharraf ont eu lieu depuis son accession au pouvoir en 1999.

pour cela qu'il sera assassiné un de ces jours », clame-t-il avec assurance.

L'air est humide et presque brûlant dans les rues de cette ville neuve, agréable parce que verte et propre, un vrai modèle de capitale du Sud-Est asiatique. Aux carrefours, nombreuses sont les guérites de policier vides ; la présence militaire semble minime – « mais ce n'est qu'une apparence », confirme Hafizullah qui, en 2004, a été arrêté et jeté en prison pendant vingt-quatre heures, pour s'être rendu sans autorisation dans les zones tribales pakistanaises avec un journaliste occidental. « Moi, j'aurais bien voulu étudier dans une *medressah*, car je trouve que tous ceux qui y sont ont un air radieux. J'envie la joie permanente qui est peinte sur leur visage », avoue celui qui n'y a passé que six mois, lorsqu'il était plus jeune. « Ces étudiants semblent avoir un lien direct avec Allah, qui me fait défaut », regrette le jeune homme, qui a pourtant choisi un mode de vie résolument autre, et travaille en jeans et en T-shirt pour des journalistes étrangers de passage (la plupart américains).

Hafizullah m'emmène chez un professeur spécialisé dans l'étude comparée des religions, vice-directeur de l'Institut d'études politiques d'Islamabad, une université privée ultramoderne du centre-ville. Anis Ahmed, 50 ans, se montre encore plus catégorique que Rashid Gazi. Comme si, au Pakistan, plus l'individu était instruit et savant, plus profond était son malaise vis-à-vis de l'Occident : « Tout le monde évoque les "racines" du terrorisme sans réel effort pour identifier le problème : si j'enferme un chat dans une pièce sans lui donner à manger pendant des semaines, lorsque j'ouvrirai la porte il se jettera sur moi, déclare abruptement l'homme aux cheveux poivre et sel et à l'impressionnante bague en argent. L'Occident a lui-même contribué à créer cette situation en soutenant des régimes dictatoriaux en Asie du Sud et au Moyen-Orient. Nos sociétés musulmanes sont opprimées et ne se reconnaissent pas dans les trois piliers de l'idéologie occidentale : individualisme, positivisme et empirisme. »

Dans son vaste bureau bien rangé, aux crayons soigneusement taillés, et sans ordinateur, l'homme évoque les énormes différences de civilisation entre l'Orient et l'Occident, comme, par exemple, la vision de la famille, différente au Pakistan et en Europe-États-Unis, où le soutien du clan et le respect des anciens est moins important, voire totalement absent. « En Occident, on parle de "sa" voiture, de "son" réfrigérateur, alors que dans les pays musulmans, la notion de propriété privée de ce genre d'objets relevant de la société de consommation n'existe pas. D'un côté, il s'agit de la tradition empirique, de l'autre, de la tradition islamique. Et chacun d'analyser la réalité différemment, selon sa grille de lecture. »

Le professeur tente d'expliquer comment sa société et les musulmans de sa région voient l'Occident : « Nous nous sentons victimes de nombreuses injustices : au niveau politique, d'abord, on nous prescrit des systèmes qui ne nous conviennent pas forcément ; au niveau économique, au nom de la fameuse "globalisation", on nous impose les vues de l'Union européenne, de la Banque mondiale ou du Fonds monétaire international, qui s'apparentent en fait à une nouvelle colonisation. Tout, jusqu'à la taille des pommes que nous mangeons, est décidé en Occident ; enfin, au niveau social et culturel, on nous impose des comportements vestimentaires (jeans, costume-cravate, minijupes), musicaux (top cinquante, pop-musique, etc.) et culinaires (culture du *fast-food*). Si je ne les connais pas, je n'existe pas. Des organisations non gouvernementales (ONG) occidentales s'implantent chez nous et exigent que nous utilisions des préservatifs pour que les relations sexuelles soient *safe* ! Mais comment s'arrogent-elles le droit de connaître nos mœurs en matière de sexualité ? Tout cela débouche sur des pensées de revanche ou des réponses irrationnelles. »

En ce qui concerne la réforme du système des écoles religieuses (*medressah*) voulue par le gouvernement pakistanais depuis les attentats de Londres, Anis Ahmed ne la cautionne absolument pas, à l'instar de la plupart de mes interlocuteurs sur ce sujet : « Sous l'emprise coloniale, un système d'éducation séculier a été mis en place, mais, parallèlement, les écoles coraniques, gardiennes de l'héritage musulman de notre pays, ont toujours fonctionné. Et c'est encore le cas. Si les écoles laïques se sont mises à produire des fonctionnaires parfaitement capables de diriger de grandes administrations du système, les *medressah* ont continué à produire des individus connaisseurs de l'islam et capables de l'interpréter. L'Occident a été abreuvé de ces images montrant un jeune musulman penché sur son petit livre jaune (le Coran), qu'il mémorisait sans pouvoir le questionner. Rien n'est plus faux ! Le système laissé par le colonisateur n'accordait en fait que peu de place à la créativité, cette qualité étant considérée comme inutile dans le cadre du système politique de l'époque. À la *medressah*, par principe, l'élève recevait un savoir sans payer de droits d'inscription. Et cela n'a changé que parce que nous avons été colonisés. »

Pour Anis Ahmed, l'esprit critique, donc curieux et observateur, se forme bien à la *medressah*, « le propre du Coran étant justement l'esprit critique. Une image erronée de notre Livre saint est apparue : plus tu serais proche du Coran, plus tu serais dogmatique. C'est faux, car le Coran nous demande d'explorer sans cesse. Au contraire, je deviens dogmatique lorsque je ne m'éduque pas, lorsque, justement, je n'ai pas la possibilité de comprendre ».

Lui aussi souligne la peur suscitée en Occident par le vocable *djihad* : « Les Occidentaux sont horrifiés par ce terme. Mais, dans le Nouveau Testament aussi, on trouve des passages violents et brutaux sur lesquels on peut fonder le concept des croisades ! »

Les Occidentaux sont ignares en matière d'islam, estiment les musulmans. Ainsi, pour eux, l'étudiant d'une *medressah* est forcément un fanatique. En guise de riposte, souligne le professeur, « pour les islamistes du monde entier, l'Occident devient le diable. L'Amérique en particulier est satanisée, diabolisée. Les événements d'aujourd'hui en Irak peuvent-ils renverser cette tendance ? Bien sûr que non ! ».

Anis Ahmed dresse la courte liste de ce qui, en Occident, pourrait plaire à beaucoup, ici : « Sans aucun doute le développement technique, les bénéfices matériels d'une vie facile, parfois luxueuse, telle qu'on la voit dans les films américains. Mais, prendre son téléphone pour commander une pizza qui arrive chez soi toute chaude, à peine quelques minutes plus tard, c'est également possible à Islamabad ! (Depuis peu de temps, je vous l'accorde, car l'« occidentalisation » est un phénomène récent...) Pour tous, donc, oui à la modernisation, mais sans occidentalisation obligatoire. Le monde est certes interdépendant (on vous envie la technologie, mais nous avons le savoir-faire local dont vous avez besoin, car il est moins cher !), mais nous voulons conserver notre identité : voilà notre credo, et c'est l'approche critique que j'essaie d'inculquer à mes étudiants ! »

Abou Bakar Siddique, la quarantaine, grassouillet sous sa *dishdasha* beige, reçoit au siège de la rédaction de son journal, un quotidien national publié en ourdou. Rédacteur en chef, il est également docteur ès sciences des religions, diplômé de la fameuse université cairote d'Al-Azhar. La porte de son bureau ne cesse de s'ouvrir et de se fermer, l'édition du journal battant son plein. J'aurais souhaité le rencontrer à un autre moment, plus propice, mais il a refusé et j'ai compris que je devais me sentir déjà plutôt honorée par le rendez-vous que j'avais obtenu. Islamiste, notable, Abou Bakar ne perd plus son temps à accorder des interviews à des journalistes occidentaux « pétris d'idées préconçues sur l'islam, aux questions idiotes montrant leur ignorance et leur peu d'intérêt pour les pays où ils sont envoyés en reportage ». Au moins le message est clair. « Je ne donne plus d'interviews à CNN ou à la BBC, parce qu'ils me censurent ! » ajoute-t-il. D'ailleurs, ce qui préoccupe le plus Abou Bakar, c'est justement le « biais médiatique » dont pâtissent les pays musulmans dans les pays occidentaux : « Au lieu d'essayer de comprendre ce qui se passe réellement chez nous, les médias occidentaux orchestrent des présentations schématiques, légitimées par des “spécialistes” qui ne connaissent pas les bases de la réalité de l'islam dans les pays en question », accuse-t-il. Mais les médias arabes en prennent aussi pour leur grade : « Nos médias ne sont pas assez professionnels, reconnaît-il. Leur standard n'est pas très élevé. Même si certaines organisations sont devenues importantes, voire incontournables, elles peuvent, d'une part, être instrumentalisées, d'autre part, elles non plus n'expliquent pas l'islam comme elles le devraient, c'est-à-dire de façon positive. Par exemple, les cassettes vidéo d'Oussama Ben Laden qui arrivent périodiquement au siège d'Al-Jazira peuvent être l'objet de manipulations *a posteriori* : l'une d'elles a volontairement été diffusée par les médias américains juste avant les élections américaines. Ben Laden peut donc dire ce qu'il veut, mais le moment où ces vidéos atteignent le public est toujours savamment choisi. Et comment peut-on savoir si Al-Jazira diffuse toutes les cassettes qu'elle reçoit ? Et quel est le contenu de ce qui n'est pas diffusé[1] ? »

Pour le journaliste, cette « propagande » et cette « diabolisation » dont feraient les frais les sociétés islamiques, souvent présentées par ces médias comme « islamistes », seraient une pure répétition de ce que les

1. Le 19 janvier 2006, une cassette-vidéo de Ben Laden a été diffusée par Al-Jazira, la première depuis décembre 2004. La chaîne a elle-même avoué ne pas avoir diffusé l'intégralité du message de Ben Laden. Que disait le reste ?

Américains avaient inventé vis-à-vis de « leur grand ennemi de la guerre froide, feu l'Union soviétique ». Selon lui, cependant, cette conception erronée de l'islam ne serait pas nouvelle, mais daterait des années 1960, au moment du processus de décolonisation. De ce fait, insiste-t-il, « il y a un fossé de communication entre vous et nous, car ni l'Europe ni les États-Unis n'ont tenté de se confronter directement à l'islam ; ils ne le font qu'en suivant leurs propres schémas et grilles de lecture. Résultat : chacun conserve sa perception et nul ne tente d'instaurer un dialogue direct ».

Abou Bakar est aussi particulièrement déçu par le manque d'autonomie de l'Europe vis-à-vis des États-Unis en matière politique : « L'Amérique est certes responsable de ce chaos, mais l'Europe, pratiquement comme un seul homme, lui emboîte le pas », souligne-t-il en faisant fi de la position plus nuancée de la France, qu'il ne mentionne même pas. « Les Américains ne nous connaissent pas ; les Européens, si. Alors, ils auraient dû agir différemment. »

« Le pire, ajoute-t-il, c'est justement notre attirance pour cet Occident tant haï. Quand un Pakistanais envoie sa fille étudier en Europe, ce n'est pas de gaîté de cœur : il sait qu'elle y perdra potentiellement ses valeurs morales et ses traditions. Pourquoi alors prend-il un tel risque ? Parce qu'il sait qu'elle ne disposera jamais des mêmes possibilités pour son éducation ici ! Nous sommes les premiers responsables de cet état de fait ! »

En sortant du bâtiment du centre-ville, je remarque, tagué en anglais sur un mur : « *Down with the USA !*[1] »

Ce sentiment d'être sous une domination américaine mondiale, contre laquelle il faut se dresser, est partagé par Imran Khan, ancien capitaine de l'équipe pakistanaise de cricket, véritable héros national depuis la victoire remportée à la Coupe du monde de Sidney, en 1992[2], aujourd'hui membre du Parlement pakistanais et leader du parti d'opposition Tehrik-I-Insaaf (Mouvement pour la Justice) créé en 1996. « Même si, après le 11-Septembre, on pouvait éprouver une certaine sympathie pour les États-Unis, tout cela a disparu dès le bombardement de l'Afghanistan ; le sentiment d'injustice est immense et domine tout, raconte celui qui, après avoir passé plus de dix ans en Occident, marié à Jemima Goldsmith, la fille du magnat de la presse britannique Jimmy Goldsmith, vient de divorcer et de se réinstaller au pays. En octobre 1997, au lendemain de la première guerre de Tchétchénie (1994-1996), Imran Khan se transporte à Grozny pour se rendre compte par lui-même de la situation. « L'imam

1. « À bas les États-Unis ! »
2. Après laquelle il a cessé de jouer au cricket.

Chamil[1] était mon héros », commente-t-il aujourd'hui, dégoûté par l'indifférence du monde occidental à propos de ce qu'il appelle le « génocide » tchétchène : « J'étais curieux de comprendre ce que peut donner l'islam radical dans un pays. Aujourd'hui, ce n'est pas l'islam radical qui fait peur, mais l'islam tout court », commente-t-il. « Lorsque les Taliban ont demandé aux États-Unis des preuves de l'implication d'Oussama Ben Laden dans les fameux attentats, on ne les leur a jamais données. Les Taliban faisaient peut-être honte à l'islam, mais on ne pouvait les qualifier de "terroristes" parce qu'ils avaient instauré ordre et sécurité dans leur pays ! » Comme beaucoup, Imran Khan nourrit une aversion certaine pour le chef de l'État pakistanais, après l'avoir pourtant soutenu politiquement à ses débuts. Il le traite ironiquement de « Busharraf », selon la blague à la mode à Islamabad depuis le 11-Septembre. Pour l'ancien joueur de cricket, pas de doute : les combats pour l'indépendance du Cachemire, de la Tchétchénie et de la Palestine sont tous légitimes, plus encore depuis que les

1. L'imam Chamil, un Arar du Daghestan, est un célèbre résistant du Caucase. Si la propagande russe de l'époque essaie de le faire passer pour un hors-la-loi, les échos de sa lutte suscitent la sympathie jusqu'en Europe occidentale et plus de trente ouvrages ou spectacles lui seront consacrés entre seulement 1854 et 1860. Il s'est finalement rendu en 1859 et la Tchétchénie fut annexée à la Russie impériale.

dirigeants mondiaux se voilent la face et déclarent qu'ils « luttent contre le terrorisme » alors qu'en fait ils ont eux-mêmes créé l'« islamisme radical » ! « On se trouve devant une véritable "manipulation de la peur" telle que l'a analysée Noam Chomsky[1] ! Aujourd'hui, ces fondamentalistes craignent que l'Occident ne les détruise, donc ils agissent. Pour moi, ce qui se passe en Palestine est l'ultime injustice de l'humanité. Rien ne le justifie, c'est encore pire que l'apartheid. Si j'habitais aujourd'hui dans les territoires occupés, aurais-je envie de vivre ? Non, je ne crois pas. J'aurais envie de me supprimer justement parce que je trouverais ma vie humiliante. À ce moment-là, je deviendrais un véritable danger », vitupère l'homme, drapé dans un *patou* de cachemire blanc sur la terrasse de sa maison neuve, construite sur les hauteurs d'Islamabad.

Rawalpindi, cité-jumelle de la capitale, est une vraie ville asiatique, poussiéreuse, chaotique et bourdonnante de monde. À cinq minutes à peine des allées ombragées de la capitale, nous voici replongés au cœur du Pakistan. Sur les bas-côtés de la route, en cette veille de Ramadan,

1. *Cf.* l'ouvrage du linguiste : *Dominer le monde ou sauver la planète ? L'Amérique en quête d'hégémonie mondiale*, Fayard, 2004.

de jeunes garçons, des danseurs et musiciens en turbans orange vif et tuniques assorties, attendent d'être recrutés pour des fêtes de mariage. Ils tranchent plaisamment avec la grisaille du paysage. Atiq-Ur-Rehman, 35 ans, directeur de la *medressah* Jamia Islamia et membre du parti d'opposition islamique JUI (Jamiat Ulama Islam) (son père fut vice-président du Parlement sous Mohamed Zia ul-Hak), reste perplexe après la double arrestation par les autorités américaines de son neveu, Hamid Hayart, 24 ans, né aux États-Unis, et du père de celui-ci, 47 ans, naturalisé américain. D'une voix posée, il raconte : « Mon oncle et mon neveu sont accusés de liens avec Al-Qaïda uniquement parce qu'ils se rendaient fréquemment dans leur village natal, à une trentaine de kilomètres d'ici. Cet endroit a été étiqueté "fondamentaliste" par des bureaucrates de l'administration américaine qui, bien sûr, n'ont jamais mis les pieds au Pakistan ! On reproche à mon neveu une conversation téléphonique avec un ami, à l'occasion de laquelle ils ont violemment critiqué les États-Unis. Son père, lui, est soupçonné de le "sponsoriser". Mon neveu a toujours gardé des relations avec son pays d'origine. Il venait ici chaque été et a d'ailleurs été marié à une fille du village. En avril 2005, alors qu'il se trouve avec sa mère et ses deux sœurs à bord d'un vol de retour pour San Francisco, l'avion est dérouté vers le Japon. Tous quatre sont sortis de force de l'appareil par des officiers du FBI et soumis à un interrogatoire. Autorisé à reprendre l'avion vingt-quatre heures plus tard, mon neveu rentre chez lui. Deux jours après, il est arrêté à son domicile américain, ainsi que son père. Depuis, tous deux croupissent en prison. » La voix tente de rester calme : « Les autorités américaines, qui ont tendance à sur-réagir, ont brisé la vie de mon neveu ; nous sommes sûrs de leur innocence. Ici, au Pakistan, on arrête aussi à tout-va sous prétexte d'un lien avec Al-Qaïda qui n'est jamais prouvé... Avant le 11-Septembre, attirés par les possibilités de travail, les valeurs démocratiques, les droits de l'homme, l'indépendance des tribunaux, ou encore le système de sécurité sociale, de nombreux musulmans avaient encore envie de se rendre en Occident pour éventuellement y vivre. Mais, depuis que certains gouvernements occidentaux ont pris envers nous des mesures injustifiées, cela a créé un fossé que certains appellent le "clash des civilisations[1]", qui ne pourra être modifié que si la politique étrangère américaine change. Et si, il y a vingt ans, les États-Unis ont eux-mêmes prôné et pratiqué un *djihad* contre l'URSS, aujourd'hui ils font mine de ne plus même comprendre ce concept ! »

---

1. Allusion au fameux livre de Samuel Huntington, best-seller mondial : *The Clash of Civilizations and the Rewaking of World Order?* publié en langue anglaise en 1996. Voir note 1 p. 27.

Son opinion sur le monde occidental est pourtant plutôt modérée : « Nous sommes obligés de prendre en considération ce monde que nous ne connaissons que virtuellement grâce à Internet ou aux médias télévisuels, et parce que nous vivons dans ce fameux "village planétaire" où chacun est connecté. L'Occident est civilisé et attirant... mais seulement en surface ! Ce qui m'intéresse dans la démocratie, ce sont ses institutions très strictes. Ici, c'est le contraire : nous avons de fortes personnalités politiques, mais des institutions floues ! » regrette-t-il. « Le monde occidental est convaincu que l'acte du 11 septembre 2001 a été commis par des musulmans et, depuis, ils nous haïssent. Mais n'oublions pas que les Américains n'ont toujours pas apporté de preuves concrètes de ce fait ! Par ailleurs, le soutien militaire américain à Israël contre la Palestine ne fait qu'agrandir le fossé entre Occident et Orient. Certes, notre Prophète ne nous a pas enseigné l'oppression, et notre religion souhaite la paix dans le monde, mais quand un État force un autre État à abandonner ses valeurs pour imposer les siennes, il ne peut pas ne pas y avoir de réaction ! » plaide-t-il.

Preuve supplémentaire que le 11 septembre 2001 n'a pas vraiment été perçu de façon identique de par le monde occidental (et ailleurs), quatre ans plus tard, le 11 septembre 2005, ici, au Pakistan, pas un prêcheur ne mentionne les attentats dans son sermon, alors que les télévisions occidentales multiplient les émissions spéciales diffusant sans cesse les mêmes images.

D'abord bordée d'eucalyptus, l'autoroute (on prend même un ticket ! entre Islamabad et Peshawar), la capitale des zones tribales, située à moins d'une centaine de kilomètres de l'Afghanistan, laisse rapidement place à une voie plus caillouteuse. Sur trois larges voies, puis sur une seule, se pressent des camions bariolés et cliquetants, harnachés de décorations, mais aussi des minivans bondés et quelques voitures particulières. Le paysage de douces collines vertes et boisées repose la vue et l'esprit. Selon Hafizullah, la plupart des voisins de l'Afghanistan ne gagneraient rien à ce que la situation de ce pays se stabilise, notamment grâce à de bonnes relations avec les États-Unis. Donc ils stimulent en sous-main les Taliban, toujours très présents dans le pays, pour qu'ils aillent combattre les Américains en Irak ou sur place. Quant à la possibilité d'érection d'un mur entre le Pakistan et l'Afghanistan, sur l'ex-ligne Durand, elle provoque de forts remous au sein de la communauté pachtoune, de part et d'autre de la frontière. Personne n'y croit.

Tout en roulant, le jeune homme écoute sans discontinuer des cassettes de chanteurs talibans interdites au Pakistan et en Afghanistan, ce qui ne l'inquiète pas outre mesure. Il me soutient qu'à Quetta, haut-lieu de la résistance talibane, cinquante mille de ces cassettes se sont vendues en moins d'une semaine, tellement ces chants nationalistes sont populaires. Sur une mélopée aux accents de musique religieuse, ressemblant presque à du rap, version musulmane, un homme à la voix grave défie *a capella* la position pro-américaine du gouvernement d'Hamid Karzaï, le président afghan, soulignant bien peu discrètement que « de nombreuses têtes d'hypocrites tomberont et les cages américaines éclateront ». La chanson s'appelle *Brisons nos menottes !* : *« Ils veulent détruire l'esprit du* djihad *et nous abrutir avec leurs nouvelles valeurs/Ils veulent voler notre dignité et notre honneur/S'emparer de notre culture et imposer la leur/Tuer nos velléités d'indépendance... »* « C'est génial », commente le jeune homme qui entonne le refrain avec jubilation. *« Ils veulent que nos jeunes femmes ôtent leurs voiles et nos garçons leur tunique pour les remplacer par des minijupes et des costumes-cravates/Ils veulent me prendre mes vieux fusils/Ceux qui m'ont permis de gagner contre l'Armée rouge/Et me priver du long couteau traditionnel/Mais c'est comme s'il nous privaient de l'esprit de nos ancêtres/Et personne ne peut nous enlever cet esprit ! »*, répète en rythme Pakir Muhammed Derwish, chanteur taliban renommé, dont la popularité croissante depuis fin 2001 montre que des milliers d'Afghans ou de Pakistanais pachtounes et talibans n'ont toujours pas accepté, en leur for intérieur, d'avoir été évincés du pouvoir.

Comme beaucoup de jeunes de son âge, sans partager l'idéologie talibane, Hafizullah a succombé au charme de ces mélopées patriotiques, car, en ces temps troublés, elles lui rappellent son identité et lui redonnent du cœur à l'ouvrage. Parce que l'union contre l'ennemi, surtout lorsque l'ennemi est la plus puissante armée du monde, est exaltante.

Nous nous arrêtons aux abords de Peshawar, ville dont la population a décuplé depuis quinze ans, à cause d'un afflux permanent de réfugiés. Le camp Azakhil a triste mine : les familles sont souvent composées d'une dizaine de membres au minimum, or les maisons sont exiguës et fragiles ; des ombres en *burqa* déambulent furtivement dans les rues de terre battue. Ahmed, 22 ans, instructeur à l'Institut Abou Hanifa de formation des instituteurs de *medressah*, m'invite à partager un humble dîner (riz, poulet et *nan*, que tout le monde attrape avec ses doigts, assis en tailleur autour du plat unique en fer-blanc). On décapsule des bouteilles de Mecca-Cola, version islamique du Coca-Cola (Ahmed est convaincu que cette boisson « yankee par excellence » appartient à des Juifs[1]). Vêtu de blanc et coiffé d'une calotte blanche, tenue caractéristique de l'étudiant en

1. Cette croyance est très répandue dans les pays musulmans, notamment au Proche-Orient.

religion ou Taleb, il porte une barbe longue et fournie qui lui donne un air de sage, malgré ses jeunes traits. Le jeune homme est fier d'avoir mémorisé le Coran alors qu'il n'avait que treize ans, au bout de vingt-quatre mois d'efforts. Aîné d'une fratrie de sept garçons et deux filles, il dit être le seul à être allé « dans la bonne direction », celle de l'islam, grâce à son père qui a insisté pour qu'il fasse des études.

Ahmed se rend périodiquement à Kaboul afin de jauger la situation et de voir si sa famille pourrait y retourner. « Pour le moment, c'est impossible, déclare-t-il catégoriquement. Le régime d'occupation nous empêcherait de vivre dans le respect de nos coutumes. Nous sommes des fils d'Allah, nous avons reçu en don le Coran dans lequel nous trouvons les préceptes de la démocratie réelle. Voilà pourquoi le Coran est notre Constitution, et c'est justement ce qui ne plaît pas à l'Occident, poursuit-il. Certains éléments du Coran peuvent être considérés comme antidémocratiques en Occident, mais nous, nous sommes fiers de la démocratie qui existe dans le Coran ! » insiste l'étudiant, faisant écho à des récriminations déjà entendues à Islamabad.

Le jeune Taleb, qui appartient à la très orthodoxe tribu des Yousoufzaï, ne semble pas particulièrement préoccupé par la nouvelle législation relative au fonctionnement des *medressah* du Pakistan après que l'une d'elles, à Lahore, a été accusée par le gouvernement de liens avec Al-Qaïda : « De tous temps, chaque colonisateur, chaque gouvernement a tenté de marquer de son empreinte les *medressah* en limitant leur expansion – en vain. Une personne diplômée d'une école coranique est quelqu'un d'exemplaire, potentiellement un leader pour les autres », explique-t-il patiemment. « Il faut cesser de blâmer en bloc l'islam pour des erreurs commises par des Taliban ou des islamistes. En France, le gouvernement a bien empêché des jeunes filles de passer la porte de leur collège parce qu'elles étaient voilées : si ça n'est pas du fondamentalisme, ça ! En Égypte, par exemple, les hommes n'ont pas le droit de porter une longue barbe : n'est-ce pas tout aussi ridicule que lorsqu'en Afghanistan les Taliban punissaient ceux qui, justement, ne portaient pas la barbe ? Et que dire des excellentes relations que les pays occidentaux, notamment les États-Unis, cultivent avec l'Arabie Saoudite où l'on coupe encore des mains ? »

Ahmed, qui n'a rien connu d'autre que les *medressah* pakistanaises, nourrit un fort ressentiment envers « les Américains », qu'il accuse de tous les maux : « Je reviens de Kaboul où j'ai vu des choses terribles ; les envahisseurs sont en train d'essayer d'introduire là-bas des comportements sexuels qui n'ont rien à voir avec nos traditions, et qui sont, disons... inconvenants. (Il se refuse à donner des détails, mais paraît extrêmement choqué.) Pourquoi l'Occident préfère-t-il ignorer que ces comportements nous heurtent ? Par ailleurs, pourquoi les Américains ne développent-ils pas l'économie de l'Afghanistan, au lieu d'occuper le pays et d'en gêner l'évolution ? Ils n'ont même pas distribué de graines aux paysans, et seules les routes entre l'aéroport de Bagram et Kaboul ou celle entre Kaboul et Kandahar, ont été refaites pour les propres besoins de leurs patrouilles ! Si les occupants continuent à ne rien faire d'autre que "combattre" les soi-disant Taliban, cette guerre se poursuivra encore longtemps ! La corruption grandira et, avec elle, le niveau de vie d'une minorité, donc le ressentiment des jeunes vis-à-vis de ces conditions de vie iniques ! Avant 2001, nous vivions sous un authentique régime islamique dont personne ne se plaignait, sauf dans les villes, où, je le reconnais, on a assisté à quelques abus. Bien sûr, le régime taliban a commis des erreurs, abondamment montrées et soulignées par les médias internationaux, mais leur État fonctionnait. Ça, les gens ne l'ont pas oublié, surtout quand ils vivent l'insécurité et le chaos d'aujourd'hui, soi-disant "démocratiques" ! De plus, les pachtounes sont irrités de ne pas être assez bien représentés au sein du gouvernement alors qu'ils sont majoritaires dans ce pays. Sous couvert de "non-implication", en fait, les occupants divisent encore plus les communautés ethniques d'Afghanistan en les montant les unes contre les autres. »

Le jeune homme souligne également l'inévitable amalgame que fait la population locale face aux nationalités des occupants : « Ici, dans l'esprit de tous, les infidèles se sont unis pour notre malheur, le malheur des musulmans. Personne ne connaît les différences entre les forces de chaque pays. Rendez-vous compte à quel point l'image de l'Occident se dégrade de jour en jour à cause de cette occupation ! »

À travers les propos d'Ahmed, je m'interroge sur l'enseignement qu'il a reçu dans sa *medressah* : a-t-il attisé sa haine anti-occidentale ? Ahmed n'en convient pas, mais reconnaît volontiers que « le Coran est notre guide universel, et tout ce qui est écrit dans le livre peut potentiellement être interprété contre l'Occident, notamment dans le domaine des comportements. Ici, si une jeune fille porte des vêtements très modernes, elle sera immédiatement accusée d'imiter le mode de vie occidental et donc, quelque part, de renier le nôtre. En acceptant la culture occidentale, tu renies ton lien avec l'islam ! »

Pour le jeune Taleb, avant les attentats du 11-Septembre, « on ne pouvait pas vraiment dire que l'Occident était antimusulman. Maintenant, oui. Et, aujourd'hui, en réaction, nous autres, on a beaucoup plus de raisons d'être anti-occidentaux ! Pourtant, on ne s'oppose qu'à ce qui va à l'encontre de l'islam. »

« En tant que musulman, insiste-t-il, je ne souhaiterais vraiment pas que mes enfants grandissent en Occident ou qu'ils y partent à un moment ou à un autre de leur existence. D'abord ils ne reviendraient pas ; d'autre part, ils adopteraient de mauvaises manières, oublieraient leur langue, leur culture, le respect dû aux femmes et aux anciens, et, surtout, ils détruiraient l'image du père[1]. Toutes les valeurs inculquées par nos ancêtres seraient effacées. Dans une société musulmane, le sentiment d'appartenance à la communauté prévaut, alors qu'en Occident c'est le règne du chacun-pour-soi. On ne jure que par l'individualisme et l'égocentrisme. Chez nous, l'appartenance familiale est primordiale : si je ne peux pas faire quelque chose, mon cousin ou mon frère s'en chargera à ma place, et ce sera tout à fait normal. En Occident, les maisons sont peut-être belles par leur façade, mais leurs occupants y vivent mal : ça, on le sait fort bien, ici. Tous les films occidentaux que nous pouvons maintenant regarder grâce à la télévision par satellite montrent la même chose : des familles qui s'entredéchirent, la cruauté des rapports humains, le vice... » Il fait une moue de dégoût : « Même à Peshawar, dans un camp, on vit mieux, car on est en paix avec soi-même ! » Ahmed m'avouera par la suite qu'il n'a pas

1. La figure du père est capitale dans la société pachtoune.

la télévision chez lui, mais qu'il a regardé des chaînes satellitaires chez des amis. « Pour rien au monde nous ne l'aurions, cette télévision satanique ! Les chaînes pakistanaises ont elles aussi été contaminées ! Trop de publicité, trop de feuilletons idiots et d'émissions qui font appel à ce qu'il y a de plus vil chez l'homme ! »

Comme la plupart de ses congénères, ce qu'Ahmed préfère dans la civilisation occidentale, c'est le « IT » (« *Information and Technology* »). Il utilise l'acronyme anglais, puisque notre discussion se déroule dans cette langue qu'il a apprise tout seul. Certains, parmi ses collègues talibans, ne l'aiment pas, justement, parce qu'il sait parler « la langue des infidèles ». Cela le fait sourire. « Je voudrais cependant souligner que nous exécrons la politique menée chez nous par les Occidentaux, mais que nous n'avons rien contre les Occidentaux en tant que tels ! Leurs systèmes d'éducation et de santé sont très positifs, et c'est justement ce qu'ils auraient dû exporter, et pas seulement leur musique et leurs modes vestimentaires ! » Ahmed déteste la musique occidentale, même lorsqu'elle est mixée avec l'orientale, comme c'est la mode aujourd'hui dans les capitales des pays musulmans. « Du reste, dit-il, je préfère ne pas trop écouter de musique, car c'est une perte de temps. Je préfère passer ce temps à écouter Dieu. »

EN AFGHANISTAN

D'Islamabad, je prends l'avion pour Kaboul. Une première impression, quand je débarque : la capitale est envahie par des myriades de panneaux publicitaires vantant les mérites de telle ou telle compagnie de téléphone portable. Je retrouve Sardar, un ami de longue date, qui se plaint sur-le-champ de la présence accrue des Taliban : « Ils ont récupéré des armes et nous gênent de plus en plus en tuant et maraudant à tire-larigot, même dans les régions du Nord plus ou moins épargnées auparavant », affirme-t-il avec colère.

En ce mois de septembre très ensoleillé, l'Afghanistan est tout à la préparation de ses élections législatives[1]. Si les Afghans ne croient pas vraiment que ce scrutin puisse modifier leur vie quotidienne à court terme, ils espèrent que le nouveau Parlement les

1. Les premières élections législatives après la chute du régime taliban se sont tenues le 18 septembre 2005.

représentera « plus honnêtement » que l'entourage ultra-corrompu du président pro-américain Hamid Karzaï. Sardar, lui, est désabusé : « Ces élections sont biaisées, c'est de notoriété publique, et personne n'a une idée claire sur ce scrutin. D'ailleurs, pourquoi voter pour telle personne plutôt que pour telle autre ? Les candidats se valent tous ! » m'assène-t-il dans un café enfumé et bruyant de la capitale où la clientèle, exclusivement masculine, feint de ne pas prêter attention à ma présence. « Les dépenses des candidats sont choquantes, alors que nous vivons encore dans la grande pauvreté. »

Après notre thé, Sardar tient à me faire visiter le *business center* de Kaboul, un gigantesque centre commercial de dix étages en verre couleur émeraude, qui vient à peine d'ouvrir dans le quartier de Shar-e-Naw. De part et d'autre des quatre escalators flambant neufs, des boutiques de téléphones portables et d'électronique voisinent avec des vitrines où s'alignent en rangs serrés cosmétiques, chaussures ou montres. De nombreux espaces sont vides, encore invendus. Avant tout mûs par la curiosité, les Kaboulis (qui, pour la plupart, ne possèdent ni électricité ni eau courante dans leur logement) se pressent nombreux dans ce nouveau temple de la consommation. Dans le même bâtiment, on trouve un hôtel de luxe avec salle de sport, plusieurs centres de conférences et la connexion au réseau de télévision par satellite. « Ce centre commercial est la preuve que l'argent commence à revenir à Kaboul, mais l'insécurité, elle, n'a pas disparu... », commente Sardar en pointant du doigt les agents de sécurité, lourdement armés.

Dehors, c'est la pagaille habituelle : trop de voitures, pas assez d'espace sur la chaussée ; ces jours-ci, les nombreux convois de candidats menant campagne compliquent encore la circulation. Leurs véhicules bardés de micros et bariolés d'affiches crachent une propagande électorale que personne n'écoute. « Il y a trop de candidats[1] ; la plupart sont de nouveaux venus en politique. Les gens en ont assez de cet amateurisme ! » bougonne Sardar. « On nous avait promis que les Taliban et autres "commandants[2]" ne prendraient plus part à la politique, mais trente-deux candidats ont été disqualifiés à cause de leurs liens avec des groupes armés ! » fulmine-t-il. « Certains d'entre eux, comme Abdoul Rasul Sayyaf, ont même été maintenus ; pourtant, ce Rasul est un dangereux fondamentaliste qui a été impliqué à de

1. Officiellement, deux mille huit cents candidats se sont présentés, dont près de quatre cents femmes...

2. Les « commandants » sont d'anciens chefs de guerre qui avaient pris les armes dans les années 1980 contre l'armée soviétique. Ils ont été au centre de la guerre civile déclenchée en 1992 après le retrait des troupes soviétiques, jusqu'à l'avènement du régime taliban à partir de 1996.

nombreuses reprises dans des violations de droits de l'homme, pendant la guerre civile... »

Je quitte finalement la capitale pour la province de Farah, frontalière de l'Iran, à l'extrême sud-ouest du pays. Il aurait certes été possible de rencontrer des Taliban islamistes et fondamentalistes à Kaboul (même « sécurisée »), mais je préfère me rendre dans le sud du pays où leurs nombreux groupes règnent encore en maîtres. Il me faut partir en voiture avant le jour du scrutin ; ce jour-là, en effet, par mesure de sécurité, toutes les routes seront fermées. Inaugurée fin 2003 après avoir été entièrement reconstruite, la route Kaboul-Kandahar, un des principaux axes de communication du pays, est réputée dangereuse, parce qu'elle traverse des provinces où les Taliban font la loi[1]. Tout au long des quatre cent quatre-vingts kilomètres, les convois de blindés américains roulent à toute allure au milieu de la chaussée sans se soucier des automobilistes locaux. Dans les villages traversés, on croise des voitures de cortèges nuptiaux lourdement décorées. Il reste à peine vingt jours avant le début du Ramadan et les cérémonies se multiplient. À la hauteur de Ghazni[2], des monceaux de briques neuves de

1. *Cf.* Anne Nivat, « En route pour Kandahar », *Lendemains de guerre en Afghanistan et en Irak*, Fayard, 2004, p. 115.

2. Ville située à une centaine de kilomètres au sud de Kaboul où, fin 2003, une jeune Française travaillant pour une organisation internationale des Nations unies fut assassinée en plein jour sur le marché.

part et d'autre de la route prouvent que la reconstruction du pays profite bien à certains !

À Kandahar, il est prévu que je change de chauffeur. Comme convenu, je retrouve, devant la mairie de la ville, Youssouf, 17 ans, qui m'a été envoyé par Sami, un ami de la province de Farah. Pour les six cents kilomètres à venir, mon sort est entre les mains de ce chétif adolescent vêtu d'une *dishdasha* immaculée, qui, de temps à autre, chausse une paire de lunettes à la monture si tordue et retordue qu'il finira par en casser une branche et se servir du reste comme d'un face-à-main. Ensemble, nous devons traverser d'est en ouest le désert brûlant de la province de Helmand, région réputée particulièrement active dans la résistance. Sur cette portion de route qui file vers Hérat, la « capitale occidentale » du pays, frontalière de l'Iran, la chaussée n'a pas été refaite. Très expert, Youssouf file à toute vitesse sur les dalles irrégulières de béton – quand elles existent – ou bien freine subitement devant un de ces nids de poule dont la piste, devenue quasi impraticable, est trouée. Parfois, nous faisons de soudaines embardées à donner le tournis, avec, en fond musical, des chants religieux pachtounes que je connais presque par cœur, tant nous nous sommes repassé la cassette !

Après avoir roulé plusieurs heures sans interruption, depuis le milieu de l'après-midi, nous croisons de moins en moins de véhicules. Les paysages du Sud ne sont guère variés, mais je les aime tout autant que ceux du Nord : dans la lumière aveuglante, les villages en terre cuite se distinguent à peine du sol ; les maisons, souvent coiffées d'un toit en dôme, n'offrent aucune ouverture sur l'extérieur pour mieux garder la fraîcheur et, surtout, protéger l'intimité des femmes. Souvent, immobile contre un mur, un âne se tient bien droit comme s'il tâchait de profiter au maximum d'une ombre ténue… Les échoppes de l'unique rue centrale proposent aux automobilistes de passage des denrées venues d'Iran : jus de cerise ou de pomme, mini-cakes sous vide, barres chocolatées. Ici, les *nan* ont pris une forme plus allongée.

Au crépuscule qui nous délivre enfin de la fournaise, nous arrivons à un embranchement : il faut soit continuer sur la même « route » et se faire à l'idée de tomber éventuellement nez à nez avec des bandits de grand chemin ou des Taliban (la frontière entre les deux est floue), soit se lancer à l'assaut du désert, solution qui, selon mon accompagnateur, réduira quelque peu les risques de mauvaises rencontres, mais nous ralentira. Le jeune Youssouf s'est d'ailleurs arrêté deux heures plus tôt au bord de la route à un bazar où je l'ai vu disputer en rigolant une arme à un autre gars. De retour à la voiture, il l'a installée contre son siège. C'est le pistolet de Sami, qu'il est censé lui rapporter, m'a-t-il expliqué en reprenant le volant. Je ne me sens guère plus rassurée par cette présence, et Youssouf pas vraiment non plus, car je vois qu'il opte pour la seconde option : le désert.

Vers 22 heures, alors que nous roulons tous deux depuis douze heures (mais moi dix-sept, car j'ai quitté Kaboul avant 6 heures, ce matin), une lumière tremblotante, au loin, semble venir à notre rencontre. D'abord inquiet, Youssouf, dont me je me demande où il puise encore ses forces, sourit, heureux et soulagé, quand il reconnaît les phares de la voiture de Sami. Inquiet lui aussi par l'heure tardive (à tout hasard) Sami s'est mis au volant et une quarantaine de minutes plus tard nos deux véhicules se retrouvent nez à nez. Sourire radieux et bras grand ouverts, un géant barbu et enturbanné s'extirpe du Land Cruiser. Dans le halo des phares, les retrouvailles sont surréalistes (je n'ai pas revu Sami depuis plus d'un an). Ses trois gardes armés passent furtivement de sa voiture à celle de Youssouf, et moi, pour la dernière fois, je change de véhicule et termine le trajet à ses côtés, bercée par les rengaines d'une cassette de hits américains du milieu des années 1980.

À Farah, ville de 250 000 habitants sans eau courante ni électricité, les Taliban sont légion mais discrets, et pour cause : depuis quelques mois, la province est devenue le lieu de passage le plus emprunté par les combattants désireux de rejoindre en Irak les groupements d'Al-Qaïda pour faire le *djihad* contre les Américains. Contrairement à leurs collègues des régions frontalières du Pakistan (dans les provinces de Khost et de Kunar, par exemple), ces Taliban s'astreignent à ne provoquer aucune attaque directe contre l'occupant, soucieux d'éviter un déploiement de l'armée américaine dans leur province. Celle-ci n'abrite pour le moment qu'une PRT[1] (équipe de reconstruction territoriale) installée à Farah depuis deux ans. « Les militaires y parlent tous le persan, et ne se préoccuppent que des contacts avec l'Iran, précise Sami. Ces Américains sont censés aider l'administration locale et en qualité de maire de Farah, j'ai donc des contacts avec eux, poursuit-il, mais chacun sait qu'en réalité ils passent leur temps à surveiller les activités à la frontière ! »

La filière talibane passe par les villes pakistanaises de Karachi et Quetta, puis par Kandahar, en Afghanistan. Ceux que l'on appelle « les Arabes » de la région – parce que, dans l'esprit de la population locale, ils sont liés à Ben Laden depuis son arrivée en

1. Une « Provincial Reconstruction Team » est un organisme civilo-militaire hybride entre une garnison militaire et une organisation non gouvernementale. L'Afghanistan en compte une quinzaine, pour la plupart gérées par l'armée américaine.

Afghanistan au milieu des années 1990 –, ne sont pas tant des combattants actifs que des spécialistes de la logistique et des questions administratives pour faciliter le passage des combattants. Depuis Farah, les candidats au *djihad* pénètrent à pied dans l'est de l'Iran qui n'est qu'à deux heures de route, le plus souvent avec des contrebandiers en guise de passeurs. Ils mettent parfois plusieurs mois à traverser l'Iran et à aboutir en Irak.

Daoud, 32 ans, ancien mécanicien et Taliban notoire, compte se rendre prochainement en Irak « pour apprendre les techniques les plus meurtrières et revenir les utiliser sur place, affirme-t-il. On n'a pas oublié que les Arabes sont venus nous aider ici contre les Américains, à l'automne 2001 ; maintenant, c'est notre tour d'aller leur donner un coup de main ! ». De passage en ville avant de rentrer à Porchaman, son village en Oruzgan (base arrière des Taliban dans la région, située à une vingtaine d'heures de route de Farah, tellement les voies de communication sont mauvaises), le combattant au nez aquilin et à la longue barbe a accepté de me recevoir dans la maison d'un ami, Sami s'étant porté garant. Les murs et le sol de la traditionnelle pièce d'hôtes sont couverts de tapis aux couleurs chatoyantes. Un petit garçon apporte un ventilateur branché sur le générateur ; on nous offre du melon.

« Contrairement à ce qu'ont décidé la plupart de mes frères d'armes, je suis venu voter », explique

Daoud dont le long turban est assorti à sa tunique bleu pâle. « Car nous manquons de représentants au Parlement... et certains des candidats sont des Taliban, c'est de notoriété publique ! » affirme-t-il en éclatant de rire (depuis le début de l'opération militaire américaine en Afghanistan en 2001, officiellement, tous les Taliban ont lâché le pouvoir). « À Kaboul, peut-être y en a-t-il moins... ! » ricane encore Daoud. « Mais en province, seule la maison du gouverneur répond aux ordres de la capitale ; dans la rue, il en va tout différemment : aujourd'hui, nous sommes tous unis contre les Américains », insiste-t-il.

Pour illustrer ses dires, le Taleb raconte cette histoire qui semble l'avoir impressionné : « Dans la région de Zaboul, un nomade kouchi, muni d'une vieille carabine datant des Anglais, a voulu aller faire le coup de feu contre les Américains. Le pauvre bougre s'est posté au bord de la route et a attendu le passage d'un convoi pour attaquer. Il s'est immédiatement fait tuer sans même avoir eu le temps de tirer, pour autant que son arme en était encore capable ! Voilà qui illustre à la perfection le niveau de ras-le-bol de la population ! Il paraît que son corps est resté treize jours sous le soleil, avant d'être récupéré par les siens. Tous ceux qui ont approché le cadavre ont dit qu'il sentait le parfum, preuve que c'était un *shahid* ! Cet homme était un illettré, mais sa famille est fière de lui, parce qu'il a tenu tête aux occupants, ne serait-ce qu'une minute ! »

Daoud reprend plus sérieusement : « Qui, dans ces régions, résout les problèmes des gens ? Qui se préoccupe vraiment de faire régner l'ordre ? Eh bien, c'est nous, grâce à la *charia*, bien sûr, que l'Occident récuse, alors qu'ici la population accepte la loi islamique. Ils ont raison, c'est la clé de leur bonheur. Mais si Karzaï continue à prendre des décisions contraires à la *charia*, des révoltes vont éclater, prédit-il avec assurance, car la patience de la population a des limites. D'autre part, nous savons que le gouvernement afghan négocie avec des Taliban soi-disant modérés et pacifistes, avec la bénédiction des Américains. Mais nous savons aussi que des groupes militairement actifs continuent d'être soutenus par les services secrets pakistanais (ISI[1]) et financés par des leaders religieux pakistanais. Bien sûr, les Américains font la différence entre "bons" et "mauvais" Taliban selon leurs propres intérêts. »

Si Daoud admet apprécier voitures et téléphones portables importés de l'Occident, il ne ménage pas ses critiques envers la multitude d'organisations non gouvernementales installées en Afghanistan, qu'il soupçonne non seulement de se livrer à l'espionnage, mais surtout de n'avoir qu'un seul but : modifier les

1. ISI : Inter-Service Intelligence.

valeurs locales et défendre leurs propres intérêts, sous couvert de travailler pour le bien de tous.

Dans la pratique, comme la plupart des Taliban, Daoud se déplace incognito dans des 4x4 faussement siglés de l'ONU ou d'une quelconque ONG locale : « J'approuve les assassinats d'étrangers qui travaillent pour ces organisations, finit-il même par lâcher, imperturbable. C'est la seule façon d'obtenir que ces organismes quittent le pays et cessent de nous polluer. » Car, pour ce mécanicien taliban, le régime d'occupation en Irak, les systèmes démocratiques en général et la politique occidentale envers les femmes sont autant de maux contre lesquels il faut combattre afin que « jamais, ici, on ne nous impose une nouvelle religion, ni qu'on “libère” nos femmes ».

Dans cette région du Grand Ouest afghan, seule la province de Farah est dirigée par un Pachtoune, l'ethnie localement dominante (depuis le départ d'Ismaïl Khan[1] la province de Hérat, au nord-ouest, est dirigée par un chiite, et celle de Nimruz, au sud-ouest, par un Baloutche), ce qui explique, selon les locaux, que cette province ne fasse l'objet d'aucune attention particulière (en particulier de subsides) de la part du

1. Nommé, à Kaboul, en 2005, ministre de l'Énergie, de l'Eau et de l'Électricité.

gouvernement central, les Américains restant persuadés qu'elle reste liée aux Taliban (tous pachtounes) et à Al-Qaïda. Sami, également pachtoune, a été nommé à la mairie il y a quelques mois par le nouveau gouverneur de la province (ce dernier ayant lui-même été désigné par Hamid Karzaï). Lui dont la vie de famille est toute différente depuis que sa femme lui a donné un fils aujourd'hui âgé de quinze mois (après quatre filles[1]), aime à s'afficher comme « conseiller occulte » du gouverneur. Ancien militant d'un parti monarchiste de Kandahar, il sait que le gouverneur partage ses opinions sur la question, puisqu'ils se sont connus par ce biais, mais il a décidé de laisser la politique de côté pour mieux s'adonner à sa mission : l'administration de la ville.

En cette veille de scrutin (plus de 200 candidats dans la province de Farah pour 11 sièges au Parlement), la mairie est en ébullition. Ce soir, Sami et le gouverneur ont prévu d'organiser une conférence de presse retransmise à la télévision locale pour assurer à la population que le scrutin se déroulera dans le calme. Sami me répète qu'il tient beaucoup à être le premier à aller voter, pour donner l'exemple. Alors que nous

1. *Cf.*, par comparaison, la situation de Besmellah dans Anne Nivat, « Un ex-taleb », *Lendemains de guerre en Irak et en Afghanistan, op. cit.*, pp. 133-168.

buvons tranquillement le thé assis sur un immense tapis déroulé à même le béton, dans la cour de la mairie, un de ses amis se moque gentiment de lui : « Je rencontre des Taliban qui m'assurent que tu es des leurs, mais les "communistes" disent la même chose, et les "démocrates" aussi ! Qui croire ? » Rien ne peut faire plus plaisir à Sami, maître incontestable du double jeu depuis toujours. Il m'avait naguère assuré que personne ne connaissait ses liens avec les Taliban.

Pendant que nous parlons, ses aides lui apportent constamment des papiers à signer. Cette fois, c'est une veste de costume à l'occidentale qu'on lui tend, sous une housse en plastique. Pour quelle raison ? « Simple cadeau », commente-t-il en riant. « Parce que je suis le maire de cette petite ville et qu'on veut s'assurer mes bonnes grâces, toute la journée je reçois des cadeaux ! » Il s'empresse de remiser sur un cintre le vêtement *Made in Iran*.

Coup de téléphone sur l'un des deux portables que le maire pose toujours devant lui dès qu'il s'assied à même le sol : c'est l'un des candidats du lendemain, un homme d'affaires revenu d'Allemagne, où il a passé les quinze dernières années, pour tenter sa chance dans l'arène politique afghane. L'homme a peur pour sa vie et exhorte Sami d'intercéder en sa faveur auprès du gouverneur, afin que sa sécurité soit garantie. « C'est aussi un moyen de se rendre important », me glisse-t-il dont la tactique est de répondre oui à tous.

Fier de me faire découvrir sa ville, Sami m'emmène. Je constate en effet que, grâce aux camions-citernes qui la quadrillent chaque matin, elle est moins poussiéreuse que d'autres ; des policiers en uniforme flambant neufs sont postés à chaque carrefour (ils saluent ostensiblement leur maire) ; et les échoppes (pour certaines, parfois tenues par des femmes – des Iraniennes) ne tombent pas en ruine. Hormis le sempiternel pick-up Toyota, le moyen de locomotion le plus prisé semble le vélomoteur pétaradant et pollueur. Les femmes en *burqa* sont rares ; elles sont plus souvent couvertes du traditionnel *tchador* noir iranien qui couvre l'ensemble du corps et des cheveux, mais laisse le visage à découvert. Seule ombre au tableau : toutes les opérations commerciales de la ville (et de toute la région) se traitent en rials iraniens dont chacun cache des liasses ramollies dans sa poche. Comme la totalité des marchandises à vendre provient de l'Iran voisin, nul ne désire perdre au change. C'est, bien sûr, illégal (sur le territoire afghan, la monnaie en cours est l'afghani), mais, jusqu'à présent, aucune administration n'a réussi à modifier cette habitude.

Ce matin, Sami a troqué son turban et son *shalvar kameez* traditionnel contre un complet-veston gris à l'occidentale, assorti d'une chemise blanche et même d'une cravate. Avec sa barbe fournie bien soignée et ses lunettes noires très couvrantes, on pourrait presque prendre mon compagnon pour un des tueurs du film *Matrix* ! « Ou plutôt un kidnappeur ! » rectifie-t-il lui-même, amusé. À Farah, oasis dans un désert de pierres où les vêtements occidentaux ne sont pas encore majoritaires, le *look* du nouveau maire fait ouvrir grand les yeux... Sami se rend à une réunion avec le gouverneur, qui a également convoqué le responsable de la PRT, celui des services de sécurité de la région et le chef de la police. Il s'agit de réagir aux rumeurs selon lesquelles, peu de jours auparavant, trente-cinq « Arabes » se seraient infiltrés non loin, dans le district de Khasapad. Bien informé, Sami prend aussitôt la parole pour affirmer qu'il ne s'agit en aucun cas de militants d'Al-Qaïda, mais d'individus non violents appartenant au mouvement Tabligh[1]. Le directeur des services de sécurité lui donne raison ; l'incident est clos, mais il illustre bien le contexte d'angoisse latente lié à la présence d'islamistes dans la région.

1. Le mouvement Tabligh est un groupe de prédication se présentant comme strictement apolitique, non violent, de tradition mystique et soufie. Grâce à ses nombreux missionnaires, ce mouvement s'est répandu dans le monde par vagues successives : dans les années 1940 pour les pays musulmans (Arabie, Turquie...), puis dans les années 1950-1960 pour les pays industrialisés (États-Unis, Grande-Bretagne, Japon, Canada...), ainsi qu'en France. Il est aujourd'hui présent partout dans le monde musulman.

Sami et moi avons rendez-vous avec un représentant des Taliban pour la région de Farah. Quand nous arrivons au lieu de rencontre, l'homme (on dirait un vieillard, mais il n'a que soixante ans) bavarde sous un arbre avec un voisin. D'abord méfiant, malgré la présence de Sami qui, de surcroît, m'a présentée comme Bosniaque (donc musulmane[1]), le *maulawi* rechigne à parler politique et tente de se cantonner dans un discours sur l'islam en général. Il commence par un long rappel historique de la situation des musulmans dans le monde, siècle après siècle. Il est convaincu que depuis le XXe siècle les pratiquants de l'islam sont vus comme des ennemis par les autres religions. « C'est pourquoi le président américain Bush a déclenché la guerre contre les musulmans. Là-bas, en Occident, on pense que l'islam a été inventé par des humains et non par Allah lui-même », commente l'homme aux yeux bleus et à la montre extra-plate Seiko, dont la modernité tranche avec son humble vêtement et son turban. « L'Occident ne pense qu'à une chose : détruire notre religion et régner sur le monde comme bon lui semble, en nous forçant à nous adapter. Mais les musulmans n'accepteront pas cela, y

1. Par mesure de sécurité, Sami me présente aussi parfois comme une réfugiée kosovare en France. Il circonvient ainsi toute question embarrassante ou attitude agressive à mon égard.

compris les plus mercantiles, c'est-à-dire ceux qui font des affaires avec les Occidentaux », prévient-il, imperturbable. « Personne ne souhaite cette occupation américaine et personne ne l'acceptera jamais », finit-il par déclarer, dévoilant peu à peu, à mesure que ses propos se font plus catégoriques, son violent anti-occidentalisme. « Je n'irai pas voter, car je n'ai peur de rien ni de personne », poursuit-il avant de citer le Coran « dans lequel on nous enjoint de combattre les juifs et les chrétiens ! L'Occident est si éloigné de la religion, il ne pense qu'à sa suprématie technologique, censée lui permettre de nous vaincre. Mais ce n'est pas vrai ! Là-bas, en Occident, ils vivent comme des animaux sauvages ! Ce sont des porcs, et nous les mettrons plus bas que terre ! » affirme-t-il en ne retenant plus son registre pro-taliban.

Le parcours du religieux est classique : après des études primaires et secondaires dans une *medressah* de Ghazni, puis de Kandahar, il est imam depuis l'âge de 30 ans, et son discours est bien rodé : « L'Occident a peur de l'islam en général. Nous autres Taliban, nous sommes en minorité dans ce pays mais, finalement, l'Europe a raison de nous craindre, car elle sera bientôt tout entière musulmane ! » assure-t-il avec conviction. « Les musulmans s'uniront et nous vaincrons, car nous sommes le seul superpouvoir de la planète ! s'avance-t-il, de plus en plus belliqueux. Les combats et les zones d'affrontement se multiplieront et nous continuerons le *djihad* jusqu'au jour du Jugement dernier, car nous n'avons plus aucune alternative. Si les musulmans ne donnent pas leur sang, jamais ils ne seront libres… » Le *maulawi* demande une pause pour sa prière de la mi-journée. Il aura finalement répondu à toutes mes questions, sauf à celle concernant Al-Qaïda (je lui avais demandé s'il était fier de l'existence du groupe armé), qu'il élude, gêné. Puis il s'en va, à pied, après avoir refusé de se faire raccompagner jusqu'à son village non loin du chef-lieu de province, dans la voiture de fonction de Sami, « à cause des plaques d'immatriculation gouvernementale ».

Au crépuscule, lorsque enfin l'astre brûlant s'est assagi et que les échoppes ont fermé leurs portes, il ne reste que les vendeurs de glace et de boissons fraîches. Certains commerçants, assis sur des tapis déroulés à même le sol, avalent un maigre repas devant une télévision de fortune branchée sur un générateur. La plupart couchent sur place afin d'éviter les vols. À la veille du premier scrutin parlementaire post-taliban, alors que les autorités centrales afghanes n'ont cessé de faire part aux médias internationaux de leurs craintes d'attentats terroristes, tout semble calme à Farah.

Sami m'emmène chez le gouverneur qui profite, sur sa terrasse, du bon air du soir, attablé devant un grand écran de télévision satellite, un verre de vin rouge californien à la main (cadeau d'un Américain, ancien chef de la PRT locale, muté depuis à Kaboul). « J'ai personnellement téléphoné à tous les chefs de la police, district après district, pour leur dire que si, demain, le moindre incident se produisait sur leur territoire, je les tuerais de mes propres mains... ou bien je me débrouillerais pour les envoyer à Guantanamo ! » déclare-t-il on ne peut plus sérieusement.

Après avoir vécu vingt-quatre ans en Californie, l'homme, originaire de Kandahar, est revenu au pays « parce qu'on m'a appelé », insiste-t-il. Il ne semble pas particulièrement se plaire à Farah, isolé et loin de tout, notamment de sa famille, restée aux États-Unis. « Le *djihad* a été inventé pour vaincre les communistes athées venus d'Union soviétique, et ces fameux Taliban qui les ont combattus ont très longtemps été soutenus par des services occidentaux... alors, comment pourraient-ils être anti-occidentaux ? » souligne le gouverneur avant de reconnaître la totale inutilité des PRT – sans, toutefois, désirer leur départ – « Si ces militaires américains quittent le pays, les Taliban reprendront aussitôt le pouvoir. L'Afghanistan est comme un convalescent faiblard et alité qui dépend encore de son infirmière. Nous avons encore besoin des PRT », ajoute-t-il en précisant qu'il a préféré ignorer leurs activités sur le territoire qu'il est censé gouverner.

Nous sommes venus regarder la retransmission de la conférence de presse donnée le jour même par notre hôte à propos des élections sur la chaîne de télévision locale, mais le téléviseur dernier cri du gouverneur, branché sur une antenne satellite, ne la capte pas. Deux hommes de maison apportent un second poste et le branchent sur les chaînes hertziennes. Pendant la retransmission du programme, le gouverneur me paraît davantage préoccupé par son image télévisuelle que par le contenu de son discours qui, en soi, n'est pas, il est vrai, très original. Sitôt l'émission finie, on repasse sur la télévision satellitaire. En écoutant les titres des informations de BBC World et de CNN International, le gouverneur et Sami sont déçus de constater que les journalistes de ces deux chaînes n'ont même pas fait mention du scrutin en Afghanistan, sans doute trop occupés qu'ils sont à couvrir les élections en Allemagne et en … Nouvelle Zélande ! Lorsque – en fin de journal seulement – un sujet sur l'Afghanistan est rapidement diffusé, c'est uniquement pour insister sur les mesures de sécurité qui entourent le scrutin. Ainsi, les stéréotypes habituels sont renforcés : seule Kaboul est sécurisée et le reste du pays plongé dans la violence et le chaos, alors que la réalité est bien plus nuancée.

Au matin du scrutin, Sami s'est levé à l'aube pour se mettre lui-même au volant de ses chers tankers d'eau.

Voilà le cadeau qu'il voulait faire à ses administrés, le jour du scrutin : montrer à la population que le maire mouille lui aussi sa chemise, et n'est « pas seulement un type assis derrière un bureau, une tasse de thé à la main ! » Il a réussi six passages avant d'aller accomplir son devoir civique au bureau de vote situé dans l'école Abou Nassar. En ce jour de vote, c'est un bien curieux spectacle pour les habitants de Farah de voir leur maire en costume occidental, au volant des tankers, puis visiter à pied les bureaux de vote… tandis que le convoi des 4x4 du gouverneur et de ses gardes du corps a complètement bloqué la circulation en ville pour pouvoir passer ! Lui, Sami, s'est ainsi démarqué de son supérieur en se montrant plus proche de la population…

Toute la journée, le vote se déroule sans incident notable, et de nombreuses femmes en *burqa* ou en *tchador* se rendent en groupes aux bureaux qui leur sont destinés, gardés par des hommes en armes.

Nous profitons de ce long après-midi pour nous rendre à une vingtaine de kilomètres au sud-ouest de la ville, en plein désert rocailleux et brûlant. Sami tient en effet à me montrer *Kafir kalash* (le Château des païens[1]), une butte escarpée que surmonte une véritable

1. Je reprends ici l'expression française utilisée par Nicolas Bouvier qui, dans *Usage du monde*, Payot, 1992, coll. Petite Bibliothèque Payot, et Droz, 1999, p. 360, visite lui aussi une de ces nombreuses forteresses.

forteresse de pierre dont on sait seulement qu'elle date d'avant l'islam. Craintifs et superstitieux, les autochtones rechignent à y amener paître leurs troupeaux, le pic maléfique étant connu pour ses serpents avaleurs de moutons ! Sami est très impressionné (pourtant, il n'en est pas à sa première visite) ; il me montre un puits dans lequel les cailloux que nous jetons se perdent dans un silence sépulcral ; il pointe le doigt vers les restes d'une véritable tour de garde, au faîte du rocher, qui semble inaccessible à pied. « Cette tour ne peut avoir été construite par des êtres humains ! répète-t-il. C'est impossible. Comment monter des pierres si haut et bâtir une tour ? » Il n'en revient pas et reste aussi perplexe à chaque visite. Tout en haut du pic que nous atteignons par un sentier qui suit la ligne de crête et surplombe l'étouffante étendue rocheuse, nous découvrons une vingtaine d'orifices creusés dans la paroi – sans doute des cellules de prisonniers ? Comme la plupart des édifices historiques pré-islamiques du pays, ce « Château des païens » a été partiellement détruit par les Taliban durant la seconde moitié des années 1990. D'en bas, où nous avons laissé la voiture, on distingue parfaitement les trous de leurs obus qui ont ravagé ce qui devait être un imposant mur d'enceinte de plus de dix mètres de haut.

Jamais à court d'idées, Sami a décidé de créer, au pied du site, un espace pour pique-niques destiné aux habitants de Farah. Il rêve de familles venant y déjeuner et se reposer, le vendredi après-midi et le samedi. Il faudrait aussi aménager des restaurants et des buvettes pour développer le petit commerce et rendre l'endroit plus agréable. On commencerait par rénover la piste menant à la citadelle, et, surtout, il faudrait planter des centaines d'arbres et irriguer. « Malheureusement, l'argent ne sortira pas des caisses de la région ni de la ville, désespérément vides. Il va me falloir trouver des « sponsors » liés à des organisations internationales », soupire le maire, prêt à envisager toute solution.

Le soir même, nous nous retrouvons une fois encore chez le gouverneur, particulièrement satisfait qu'aucun événement dramatique ne soit venu gâcher la journée, heureux que son pays ait ainsi démontré sa capacité d'organiser un scrutin démocratique auquel même les femmes ont pu prendre part. Malgré un taux de participation relativement peu élevé[1], ces élections législatives sont une réussite, et celle-ci, du point de vue médiatique, est incontestable : au soir du scrutin, les télévisions occidentales, toutes sans exception, ont diffusé des images de silhouettes bleues se rendant aux urnes.

1. Il sera finalement de 54 % (dont 40,6 % de femmes et 59,4 % d'hommes) pour 12,4 millions de votants enregistrés.

À mon départ, j'ai l'impression de quitter un pays moins crispé et tendu qu'en 2003 (deux ans seulement après l'invasion américaine), mais toujours très incertain sur son avenir. Le faible intérêt réel des Afghans pour ces premières élections législatives, leur apparente lassitude à l'égard de la politique, un an à peine après l'élection de leur président, autorisent à douter de la pleine « démocratisation » afghane. Non, les Afghans n'ont pas eu l'impression qu'en allant voter ils changeraient quelque chose à la situation de leur pays. Ils savent parfaitement que les Taliban et d'autres groupes fondamentalistes continuent de faire régner la terreur partout où ils le peuvent, en signe de désaccord profond avec l'occupation américaine.

Comme en Tchétchénie et en Irak, la population afghane se répartit entre ceux qui collaborent avec l'occupant (soit par intérêt personnel, soit parce qu'ils ont confiance en lui) et la grande majorité silencieuse qui n'a pas encore eu loisir de s'approprier les bénéfices de la démocratie. C'est que, partout dans le pays, la vie quotidienne reste dure, la corruption omniprésente et les disparités socio-économiques entre les plus pauvres et une minorité qui s'enrichit à vue d'œil, croissantes. Daoud, le combattant taleb de Farah, est allé voter, non parce qu'il croit à la démocratie – régime politique importé de l'Occident honni –, mais par calcul stratégique : il souhaite qu'un député partageant ses vues fondamentalistes entre au Parlement afghan. On peut aussi se dire qu'au fond, à sa manière, ce Taleb admet la règle démocratique selon laquelle des opposants ont aussi leur place au sein d'une assemblée élue…

EN IRAK

Ariana Afghan Airlines, la compagnie nationale afghane, sous-traite la desserte de la ligne Kaboul-Istanbul à une compagnie française à laquelle elle loue l'appareil (un énorme Boeing A310) et le personnel navigant, y compris les pilotes. Pour pénétrer en Irak, j'ai décidé de passer une nouvelle fois par l'est de la Turquie et le Kurdistan irakien[1], avant de rejoindre Bagdad par la route. D'Istanbul, je m'envole pour Diyarbakir, capitale du Kurdistan turc, d'où une voiture m'emmènera jusqu'à la frontière irakienne.

Une vingtaine de kilomètres avant le poste de contrôle, plusieurs centaines de camions-citernes sont alignés sur le bas-côté. C'est que, depuis les bombardements américains du printemps 2003, la capacité irakienne à raffiner son pétrole s'est considérablement

1. *Cf.* « Avant-scène », *Lendemains de guerre en Afghanistan et en Irak*, *op. cit.*, p. 219.

amenuisée. Acteurs d'un incessant ballet entre Irak et Turquie, les chauffeurs turcs sont l'objet de toutes les attentions : si, pour des raisons de sécurité, ils décident de moins circuler en Irak[1], le prix de l'essence monte aussitôt ; en général, les camions-citernes franchissent une première fois la frontière à vide pour se charger de brut, repassent la frontière pour raffiner ce pétrole brut en Turquie, et la traversent une troisième fois pour revendre leur chargement en Irak. En principe, aux pompes d'État, mais surtout au marché noir, lequel a explosé en l'espace d'un an. À 1,5 dollar les 40 litres aux stations-service, et à 7 dollars au marché noir, l'essence est devenue vraiment hors de prix[2]. C'est la première récrimination que j'entendrai tout au long de ce voyage, que ce soit en pays kurde, à Bagdad ou dans le « triangle sunnite ». Les restrictions d'électricité (elle n'est encore distribuée que quatre heures par jour à Erbil, voire à Bagdad) viendront en seconde place.

C'est à Dohouk, en terre kurde, que je retrouve Bilal, 27 ans[3], dont les propos empreints d'une grande

1. Depuis le printemps 2003, un certain nombre d'entre eux ont péri sur les routes irakiennes.

2. En février 2006, le prix a encore augmenté : il faut compter 7 dollars les 40 litres d'essence de première catégorie aux stations, et presque 14 dollars pour la même quantité au marché noir.

3. *Cf.* « Une famille kurde », *Lendemains de guerre en Afghanistan et en Irak*, *op. cit.*, p. 227.

tristesse me fendent le cœur : son père, un vieux *pechmerga* avec lequel je m'étais longuement entretenue deux ans auparavant, est décédé d'un cancer du pancréas. Désormais chef de famille, Bilal a du mal à faire face, car il ne veut pas travailler avec les Américains qui l'ont déçu. Il a été traducteur pour l'armée pendant quelques semaines, mais son contrat n'a pas été renouvelé. Maintenant, il ne sait plus quoi faire de ses journées. Unique porte de sortie à ses yeux : passer l'examen du TOEFL[1] afin de se faire admettre dans une université à l'étranger – mais « pas aux États-Unis, c'est hors de question », déclare le jeune homme avec rancœur. « Plutôt en Australie ou au Canada où les gouvernements pratiquent une politique favorable à un certain profil d'immigrés, notamment les plus éduqués », d'où son obsession d'améliorer son niveau en anglais.

Depuis les attentats survenus dans le métro de Londres le 7 juillet 2005, Oumet, le frère cadet de Bilal, continue à travailler dans un restaurant de la capitale britannique, mais il a perdu tout espoir de recevoir ses papiers de réfugié. Bilal, lui, est intarissable sur la situation de son pays qui, selon lui, a considérablement

1. Examen de langue anglaise pour étrangers *(Test of English as a Foreign Language)* qui permet de préparer des dossiers d'inscription afin d'entrer dans des collèges et universités de langue anglaise en Europe et aux États-Unis.

empiré depuis un an et demi : même s'il parle très bien l'arabe, le jeune homme redoute de se rendre à Mossoul, à moins de cent kilomètres d'Arbil, de peur d'être reconnu comme Kurde et de « se faire tuer sur-le-champ ». Si Bilal noircit forcément le tableau, d'autres interlocuteurs me confirmeront ses craintes.

Depuis notre dernière rencontre, le jeune homme enjoué est devenu triste et pessimiste ; il rêve à présent de quitter son pays et a totalement renoncé à ses projets de mariage : « Le fait que le président irakien soit un Kurde[1] ne veut rien dire », insiste-t-il. « C'est une sombre plaisanterie. La réalité, c'est que les Arabes sunnites n'accepteront jamais le fédéralisme que nous, Kurdes, prônons. »

Hussein est venu me chercher en voiture de Bagdad avec un copain kurde ; nous pourrons de la sorte franchir plus facilement (et plus discrètement) les barrages policiers dans le nord du pays. La route vers la capitale est bordée d'immenses panneaux de publicité en prévision du référendum[2] : « *Vote for Iraq, only for Iraq* », préconise l'un d'eux où l'on voit la carte de l'Irak tenue entre les deux doigts d'une main. Sur un

1. Le président irakien est Jalal Talabani depuis avril 2005.

2. Le référendum sur le projet de Constitution irakienne s'est tenu le 15 octobre 2005. On a constaté un taux de participation de 63%. Le oui l'a emporté et la Constitution fédéraliste a été adoptée.

autre on peut lire en arabe et en kurde : « La Constitution est source d'unité et d'espoir ! »

En route, nous faisons halte à Kirkouk, la quatrième ville du pays (plus d'un million d'habitants), dont les riches champs pétrolifères sont l'objet des convoitises arabes, kurdes et turcomanes, les trois principaux groupes ethniques d'Irak. La situation est explosive, car les Kurdes revendiquent cette ville, exigence jugée naturellement inacceptable par les deux autres groupes ethniques. Quant aux Américains, ils ont la ferme intention de ne pas modifier le *statu quo ante*, en vigueur sous Saddam Hussein. La ville se trouve au centre de la problématique du fédéralisme que la nouvelle Constitution soumise à référendum prétend résoudre.

J'y retrouve Nidret, une Turcomane, professeur d'anglais au collège[1], qui nous reçoit complètement voilée, une agrafe retenant son foulard sous le cou. « Les coupures d'électricité importent peu par rapport à la peur d'être tué chaque fois qu'on sort de chez soi, déclare-t-elle. On ne fait qu'attendre la prochaine explosion et prier pour être épargnés. Hier, mon fils a dû aller subir des examens à l'hôpital où une bombe a déjà explosé il y a quelques semaines. Je me suis fait un sang d'encre pendant son absence ! » Alors que

1. *Cf.* « Une famille turkmène », *Lendemains de guerre en Afghanistan et en Irak*, *op. cit.*, p. 279.

nous parlons, à 9 h 15 précises du matin, l'électricité et le ventilateur se mettent en route ; la famille semble revivre, car on peut enfin allumer la télévision (qui marchera toute la journée) et disposer des aliments dans le réfrigérateur. La température de la pièce fraîchit rapidement. Nidret déclare être certaine de voter non au référendum, car elle juge que le texte, distribué tardivement, n'a fait l'objet d'aucun débat public, et, surtout, n'est pas favorable aux Turcomans. « Mes élèves souffrent tellement de l'occupation qu'ils en viennent à me demander pourquoi ils devraient apprendre la langue de leur ennemi ! », se plaint-elle. « Je ne sais comment réagir, ni que leur dire... À l'école, nous ne sommes pas censés faire de la politique... Mais, malheureusement, TOUT est devenu politique ! Ici, en Irak, nous baignons dans la politique !... Et si un Turcoman meurt à cause d'un Arabe ou d'un Kurde, il est bien difficile de rester silencieux », reconnaît l'institutrice, une musulmane très pratiquante, qui a de plus en plus de difficulté à supporter la présence américaine et va jusqu'à affirmer que la plupart des bombes explosant en Irak sont posées par... les Américains eux-mêmes pour justifier leur présence et leur régime !

Pour Nidret, il faut bien faire la différence entre « les véritables terroristes, peu importe leur nationalité, qui tuent des innocents, ce qui est abominable, et les islamistes qui tuent des Américains, ce qui est bien ! » Par exemple, des attentats à la bombe contre des militaires américains ont récemment eu lieu à l'aéroport de Kirkouk, mais « très peu de médias en ont parlé car ils ont tous une approche pro-américaine et préfèrent ne pas montrer ce qui met en lumière l'échec de l'occupation et la poursuite de la résistance », souligne-t-elle.

Lorsque j'aborde le thème des relations hommes-femmes en Irak et le statut de la femme dans les pays musulmans en général, mes deux compagnons masculins se lèvent comme un seul homme et partent faire un tour « en m'attendant ». J'ai commis un impair, oubliant que la jeune femme ne peut se permettre de répondre librement à mes questions devant un homme de sa famille, et encore moins en présence de deux étrangers ! Elle rit de ma maladresse et nous poursuivons tranquillement notre discussion : « Pour moi, l'Occident ne respecte pas les femmes, et ça me pose un vrai problème, affirme-t-elle franchement. En Occident, la femme n'a pas d'honneur, alors qu'ici notre dignité est reconnue, et nous sommes respectées. Tout est dit dans le Coran : si nul homme autre que mon mari ne doit apercevoir mon corps, c'est avant toute chose par respect pour ma personne. »

Elle se tait un instant, quêtant mon approbation, puis reprend : « Chez vous, n'importe quel homme peut passer une nuit avec n'importe quelle femme qui lui a plu... mais que fait-on des enfants ? », s'exclame Nidret, semblant totalement oublier l'existence de la contraception (qui, d'ailleurs, n'est que très peu pratiquée en Irak). « Et je ne parle pas ici de la prostitution, mais de ce qu'on voit dans tous vos films... C'est simple, chez nous, quand on regarde les chaînes de télévision occidentales en famille, je demande parfois à mes enfants de quitter la pièce, et d'ailleurs, mon fils part de lui-même dès qu'il y a des scènes d'embrassades ou de nudité. » Elle réfléchit et exprime une nouvelle incompréhension : « C'est comme le féminisme à outrance, voilà encore un phénomène que je ne comprends pas : Allah nous a créés différents, alors l'homme et la femme devraient respecter cette différence ! Bref, chez vous, c'est vraiment le chaos ! » Que souhaiterait-elle voir à la télévision occidentale ? « De bons films documentaires sur l'islam, des informations qui prendraient en compte un autre regard, le nôtre, celui des musulmans vivant sous occupation, ainsi que des émissions et débats exposant la richesse de l'islam : ce serait tellement mieux que la répétition des habituels amalgames à propos de l'islam, des islamistes et des terroristes ! »

Hier, le mari de Nidret est revenu d'un voyage d'affaires à Istanbul. À la frontière turco-irakienne, il a été ennuyé par les gardes-frontières (kurdes) qui avaient découvert parmi ses affaires un livre d'histoire sur son peuple, les Turcomans. Du coup, il a raté son bus et n'a pu rejoindre Kirkouk que tard dans la nuit. Nidret soupire et baisse les yeux : « Aussi bien ici qu'à Bagdad et dans le sud, notre peuple a toujours vécu de façon misérable. Au nord, les Kurdes s'en sont toujours sortis... Ils veulent Kirkouk, mais ne l'auront jamais. Nous nous battrons, s'il le faut, et là, ce sera une vraie guerre civile », lance-t-elle avec une haine et une agressivité non dissimulées envers les Kurdes.

Âgé de 18 ans, le fils aîné de Nidret est confronté à un dilemme : partir poursuivre ses études pendant quatre ans au moins à l'université de Bagdad, ou déménager en Turquie (dont il parle la langue). Sa mère ne souhaite ni l'un ni l'autre : « À Bagdad, je tremblerais pour lui chaque seconde ; s'il part en Turquie, je me doute qu'il ne reviendra plus jamais, comme tous les garçons de son âge ; je sais aussi qu'un Kurde prendra immédiatement la place qu'il vient de quitter ! Les Kurdes n'attendent que cela ! Tout le monde le sait, et si tous les jeunes garçons de l'âge de mon fils quittent le pays, Kirkouk deviendra tout naturellement kurde. Il ne faut pas les laisser faire ! », conclut-elle vivement.

Un sourire n'éclairera le visage fermé de Nidret que lorsqu'elle évoquera l'université pour Turcomans qu'un exilé de ce groupe ethnique, revenu des États-Unis, envisage de créer à Kirkouk. Les bâtiments devraient sortir de terre dans trois ans, et les cours débuter au même moment. « Peut-être ma dernière fille, qui a aujourd'hui sept ans, aura-t-elle la chance d'y entrer ?... »

Nous repartons. Plantés dans des cours de maisons ou devant des bâtiments officiels, les premiers drapeaux irakiens se remarquent seulement au sud de Kirkouk, comme si les abords de cette ville disputée marquaient une frontière imaginaire. Mes compagnons cherchent l'essence la moins chère. Finalement, on en trouve à 7 dollars les trente litres, ce qui n'est pas si mal. Les vendeurs sont des chauffeurs de taxi arrêtés au bord de la route, qui font mine de dissimuler les jerricans dans leur coffre. On tente d'éviter les postes de police où seraient placés conjointement Américains et Irakiens. Ils se repèrent généralement de loin, à la longueur de la file d'attente. Si tel est le cas, comme de nombreuses autres voitures qui n'ont pas envie de perdre du temps, nous rebroussons chemin pour passer ailleurs. À plusieurs reprises, il nous faut nous arrêter et arroser abondamment le radiateur de la voiture, mis à mal par la chaleur extérieure et le climatiseur interne que nous faisons fonctionner à plein.

À une centaine de kilomètres au nord de Bagdad, le visage de Hussein se rembrunit. Après 16 heures, rares sont ceux qui s'aventurent sur cet axe routier uniquement emprunté par les habitants des villages voisins, les Américains et la police irakienne. Nous sommes au cœur de la zone sunnite, haut lieu de la résistance anti-américaine, et cette section de route est particulièrement dangereuse. Comme en témoignent les carcasses carbonisées de camions transportant des dalles de béton destinées aux enceintes de protection des bâtiments abritant Américains ou administrations irakiennes, les attaques ne sont pas rares, et, souvent, le chauffeur a été abattu par la résistance. La curieuse absence de postes de contrôle sur cette section (alors qu'ils pullulent ailleurs) renforce l'impression d'insécurité. Nous continuons de filer à vitesse constante (140 km/h), avec, en suave fond sonore, les rengaines ultra-romantiques de Julio Iglesias, le chanteur préféré de Hussein.

C'est enfin l'arrivée à Bagdad avec ses tas d'ordures aux miasmes impressionnants, ses gigantesques nœuds autoroutiers et ses imposants troupeaux de moutons sales que n'effraient même plus les voitures. Au-dessus d'un Abribus à moitié saccagé, un panneau publicitaire pour les cigarettes Gauloises proclame en français : *« Liberté toujours ! »*. Je me demande s'il était déjà là sous Saddam ou si ce message frondeur a fait son apparition plus tard. En tout cas, le slogan est particulièrement d'actualité...

Nettement plus détendu depuis notre arrivée en ville, sa mission accomplie, Hussein commente la situation politique du jour : pour lui, il n'y a aucun doute, le fédéralisme, qui a déjà fait ses preuves au Kurdistan, est le seul moyen de s'en sortir. Il souhaiterait également que les prochaines élections[1] offrent un nouveau gouvernement au pays, que les Américains promettent enfin de quitter le pays et que le nouveau gouvernement irakien ne s'intéresse pas seulement à la « sécurité », mais aussi à l'électricité et à l'eau potable, donc à la reconstruction du pays. « Tout le monde est obsédé par la Constitution et la sécurité, or ce sont les Irakiens qui font les frais de cette situation ! Cela finira par coûter cher aux Américains », proclame-t-il.

Dans les rues, la tension monte toujours quand approche une patrouille américaine. Si, il y a un an encore, les Humvee se mêlaient adroitement à la circulation infernale, aujourd'hui le dernier blindé du convoi porte une pancarte sur laquelle on lit : « Reste à 100 mètres, ou je tire. » Résultat : la circulation est encore plus chaotique, et la peur palpable des deux côtés. Les Américains se protègent en tirant[2] ; quant aux Bagdadis, à l'approche d'un convoi, ils bifurquent

1. Hussein fait ici référence aux élections législatives qui se sont déroulées le 15 décembre 2005.

2. Selon les témoignages des Bagdadis, il y a déjà eu de nombreux morts innocents tués par des soldats, depuis leur convoi, parce que les chauffeurs irakiens n'avaient pas respecté l'injonction en question, ou tout simplement parce qu'ils ne l'avaient pas comprise.

par la droite, par la gauche, provoquant des embouteillages monstres. Un matin, la route qui va vers le centre est coupée : un attentat vient de se produire (nous avons parfaitement entendu l'explosion). Deux minibus carbonisés bloquent la route. Dans l'un d'eux se trouvait un kamikaze. Les ambulances ne sont pas encore arrivées, et la chaussée est rouge de sang. Sept personnes sont mortes, nous dit un policier irakien, l'air las, en dévorant une banane, mais je sens planer une certaine indifférence ; la foule compacte continue à vaquer à ses occupations comme si de rien n'était. « La multiplication de ces attentats qui tuent des civils est la preuve de l'échec américain ! », commente tout de même un cordonnier du quartier. Hussein me conseille de ne pas trop m'approcher car, parfois, une seconde explosion a lieu.

La veille, en rencontrant Leïla, j'avais déjà ressenti cette étrange indifférence proche du ras-le-bol. Leïla a trente-six ans, trois enfants, et elle a également été victime d'un attentat. Son cas a été choisi par une nouvelle chaîne de télévision privée, Al-Sharqiya[1] (L'Orient), qui a inventé un nouveau genre de téléréalité, directement suggéré par le régime d'occupation. L'émission reconstruit aux frais de la chaîne une maison ou un

1. *Cf.* « Copying West, Iraqi TV Station Creates Hit », de Yochi J. Dreazen, *The Wall Street Journal*, 22 août 2005.

appartement détruit par un attentat ; elle peut aussi suivre pas à pas l'hospitalisation (ou la mort en direct) d'enfants blessés, par exemple lors d'une attaque américaine. Le but d'Al-Sharqiya, dont le directeur général, Saad Al-Bazzaz, est un ancien responsable d'agence de presse officielle qui a dirigé la radio nationale avant de fuir le pays pour Londres en 1992[1], semble bien de détrôner Al-Jazira, sa grande concurrente, par une programmation encore plus percutante, d'ailleurs plébiscitée par les télé-spectateurs irakiens. Une autre émission « Santé et richesse », copie le « Newlyweds » de la chaîne américaine MTV mais, au lieu de suivre un couple connu pendant les semaines qui précèdent leur union, l'émission filme un couple d'anonymes depuis leurs fiançailles jusqu'aux premières semaines de leur mariage, détaillant le coût de la cérémonie (souvent plusieurs milliers de dollars), payée en totalité par la chaîne en échange du droit de la filmer intégralement ainsi que les mariés vingt-quatre heures sur vingt-quatre.

Le show mensuel « Travail et matériaux », auquel a participé Leïla, dépense à chaque épisode près de

1. Saad Al-Bazzaz est rentré en Irak au moment de la chute du régime et a créé plusieurs journaux. Sa chaîne, Al-Sharqiya, émet depuis le 11 juin 2004. Il a l'intention d'y ajouter une chaîne satellitaire internationale en anglais et une autre pour enfants, copiant, une fois encore la stratégie d'Al-Jazira dont la chaîne anglophone commencera à émettre en mai 2006.

trente mille dollars en reconstruction de sites détruits par la guerre. Au lieu de rénover des appartements dont le design n'est plus à la mode, il répare et reconstruit entièrement des maisons et logements détruits par des bombardements américains ou par des attentats, soulignant ainsi en permanence ce que Leïla et d'autres victimes de ce type de destruction ne cessent de répéter : « Les Américains n'ont rien fait pour nous ! Regardez le désastre ! » Pour le moment, et en l'absence d'un marché de la publicité viable en Irak, l'émission est sponsorisée par les deux principaux fournisseurs de téléphones portables du pays, mais Saad Al-Bazzaz mise sur l'avenir.

Leïla a gardé en mémoire les moindres détails de cette fameuse journée d'août 2004, lorsque le terroriste, qui n'avait pu garer sa voiture piégée au plus près de l'église chrétienne visée, l'a finalement laissée en double file, à deux pas des fenêtres de sa cuisine. Il a eu le temps de fermer à clé les portes de son véhicule et de s'éloigner, avant que la voiture n'explose. « J'étais chez moi avec mes trois enfants et je regardais la télévision », précise Leïla. « Notre plafond et tout un pan de mur de la maison ont été soufflés. On nous a emmenés à l'hôpital où, deux mois plus tard, j'ai reçu la visite des producteurs d'Al-Sharqiya. Ils étaient à la recherche d'un cas “intéressant”, et, visiblement, le fait que ma fille ait été blessée à l'œil, que nous soyons une famille chiite installée dans un quartier chrétien de Bagdad, mais que la plupart de mes voisins soient sunnites, les avaient intéressés. Je n'avais jamais entendu parler de cette émission, mais ça m'a paru une chance non négligeable, pour notre famille, de nous en sortir... Mon mari et moi manquions d'argent pour réparer l'appartement et payer les traitements médicaux ainsi que l'hôpital ; Al-Sharqiya est donc arrivée à point nommé ! »

Nous rentrons dans le quartier Al-Mansour, celui de Hussein, chez qui je me suis installée. Pas question, en effet, de me faire repérer dans un des nombreux hôtels de la capitale. Après un frugal dîner préparé par Leïla, son épouse, je me mets au lit de très bonne heure. Je suis bercée par le bruit de la télévision installée dans la chambre du jeune couple et qui fonctionnera jusqu'à ce que le générateur s'arrête, vers vingt-trois heures. À minuit, deux puissantes explosions, à quinze minutes d'intervalle, me réveillent en sursaut. S'ensuivent une courte fusillade et un long survol du quartier par des hélicoptères. « Des bruits nocturnes de routine », commentera Hussein, le lendemain matin, ajoutant que, deux jours avant mon arrivée, un commando de militaires américains a opéré une descente à quatre pâtés de maisons de la nôtre, dans une habitation privée louée depuis deux mois à un couple d'Irakiens.

Il a fallu cinq heures de combat aux militaires pour abattre les huit combattants, tous de nationalité somalienne. Une impressionnante quantité d'armes a été découverte, Hussein me montrera la maison qui n'est plus qu'un amas de ruines.

Hussein n'est pas à proprement parler un islamiste, mais il a pourtant une image de l'Occident de plus en plus biaisée, négative, notamment depuis que, le 30 octobre 2004, sa femme a été blessée au visage dans un attentat-suicide contre la chaîne de télévision Al-Arabiya où elle travaille comme ingénieur. L'attentat a provoqué la mort de cinq personnes et fait sept blessés. La voiture de Hussein, garée sur le parking, est partie en fumée. « Les islamistes de la résistance ne nous aiment pas, car Al-Arabiya les ignore, explique Hussein. Ils considèrent, à tort, que nous sommes trop pro-gouvernementaux, et sont mécontents que nous refusions de diffuser leurs clips de propagande ! » Après l'attentat, l'épouse de Hussein est partie se faire soigner en Arabie Saoudite, tous frais payés par le propriétaire de la chaîne, le cheikh saoudien Walid Al-Ibrahim, dont la sœur est l'épouse du roi Abdullah ibn Abdel Aziz, le nouveau souverain à Ryad. Mais Leïla a besoin de soins supplémentaires pour son visage encore abîmé et doit retourner fréquemment en Jordanie où Hussein aurait presque envie de s'installer. « Même si je gagnais mille dollars par mois, je ne resterais pas ici en Irak, car cet argent, je peux le perdre en un instant ! Je ne veux pas être toute ma vie sous pression », soupire-t-il. « Au moins, sous Saddam, on pouvait émigrer et avoir une chance d'obtenir l'asile politique ailleurs. Aujourd'hui, les Kurdes et les chiites (Hussein est chiite) n'ont plus aucune chance, puisque nous sommes censés avoir été libérés, alors que les sunnites, tous ex-pro-Saddam, arguant de menaces sur leur personne et de leurs difficultés à vivre sereinement en Irak, parviennent à obtenir l'asile politique ! C'est vraiment le monde à l'envers ! »

Le frère aîné de Hussein vit en Grande-Bretagne depuis trente ans, mais les deux frères ont cessé toutes relations : « Depuis qu'il a pris la mentalité occidentale, mon frère est devenu égoïste. Il a complètement oublié sa famille et les valeurs traditionnelles islamiques », lui reproche Hussein qui ne veut plus entendre parler de ce parent honni. Selon Hussein, nombreux seraient les Irakiens ayant subi une métamorphose similaire après leur départ pour l'Occident. Pourquoi ? « Il faut vous le demander, vous qui vivez en Occident. Que leur faites-vous, pour qu'ils changent à ce point ? » me renvoie-t-il en riant.

Pendant ces journées de septembre 2005, le quartier Al-Sadr de Bagdad (deux millions d'habitants, parmi les plus pauvres de la ville et les plus violemment anti-

Américains) retient l'attention de tous : la veille encore, une dizaine de personnes y ont été tuées. Le scénario reste flou : une patrouille américaine était en train de distribuer des bonbons à des enfants lorsque « quelqu'un » a tiré. Les militaires ont réagi ; du coup, la fusillade a duré près de trois heures. Hussein redoute que les événements ne dérapent à nouveau, comme à l'automne 2004 lorsqu'à Nadjaf, ville du Sud, les Américains donnèrent l'assaut. Le leader religieux chiite Moqtada Al-Sadr[1] affirmait alors que la ville était sous sa protection. Ce scénario pourrait se rééditer dans la poudrière du quartier Al-Sadr de la capitale.

Les nombreuses patrouilles nous obligent à modifier une fois de plus notre itinéraire pour nous rendre au couvent dominicain où m'attend le frère Youssouf Mirkis[2]. « Au lieu de se préoccuper de l'absence de dialogue, l'Occident brûle les étapes. Notre société crie parce qu'elle a mal, mais l'Occident ne lui demande pas où elle a mal. La division des pays arabes résulte de la colonisation européenne. Voilà le rôle de l'Europe, et voilà ce que le mépris a récolté ! La

1. Le père de Moqtada, Mohammed Sadeq Al-Sadr, avait été assassiné par les sbires de Saddam, en 1999. C'est pour honorer sa mémoire que son nom a ensuite été donné au plus grand quartier chiite de Bagdad.

2. *Cf.* « Un père dominicain », *Lendemains de guerre en Afghanistan et en Irak*, *op. cit.*, p. 331.

blessure, vieille de cinquante ans, a été aggravée par les humiliations successives (en 1948, en 1967 et en 1973), et elle ne cesse de suppurer depuis... On nous appelle le tiers-monde ; en fait, nous sommes plutôt le vingt-cinquième monde ! Alors nos islamistes rendent la monnaie de la pièce en diabolisant l'Occident », explique posément le religieux chrétien dans un français parfait, en tentant de m'exposer la vision qu'ont les islamistes des Occidentaux. « Ici, dans les médias arabes, que connaît-on de votre monde depuis que le ciel est ouvert aux satellites ? Essentiellement la violence et la pornographie ! Pour vous, depuis les attentats de septembre 2001, un islamiste est devenu un terroriste. Les islamistes du monde entier se sentent l'objet d'une terrible injustice. Et quels sont les lieux où l'on peut encore parler librement de cette injustice, avec ses mots, même maladroits, même blessants ? Les mosquées, bien sûr, elles sont le refuge par excellence des chefs non politiques et au langage proche du peuple ! »

Le religieux chrétien, qui n'a jamais abandonné son pays, passe son temps à réfléchir aux origines de cet islamisme de plus en plus agressif : « Notre société a été figée pendant quatorze siècles, elle était incapable de se réformer de l'intérieur. D'ailleurs, il est toujours plus aisé de se trouver un ennemi extérieur à attaquer... C'est ce qui s'est passé le jour où les kamikazes ont attaqué le symbole du centre économique mondial, les deux tours du World Trade Center, à New York. Ils ont mis la machine en marche, laquelle, depuis lors, est restée emballée. Regardez Gaza où la société est neurasthénique, le ciel et les frontières fermés. Les gens y vivent comme dans le *Huis clos* de Jean-Paul Sartre. Or, quand la maison de votre voisin brûle, le réflexe normal est de courir l'aider de peur que le feu ne se propage. Je pense que la neurasthénie palestinienne s'est propagée partout dans le monde musulman. La vérité est qu'on vous aime et vous déteste à la fois. Personne n'a jamais émigré vers des pays pauvres, donc on se bouscule en Occident, mais on ne vous aime pas. "Vous êtes la cause de nos malheurs" : voilà ce que l'Orient dit à l'Occident ! »

Le père Youssouf Mirkis estime que les similitudes entre les États-Unis et le monde arabe sont nombreuses, ce qui expliquerait en partie leur haine mutuelle. Il s'emploie à les détailler : « D'abord, l'Amérique est un continent qui parle la même langue ; ici, une communauté de pays déployés sur douze mille kilomètres parle également la même langue, l'arabe. Deuxièmement : l'Amérique est un jeune continent ; la société arabe comporte elle aussi plus de 60 % de jeunes gens (*a contrario*, en Europe, on a le sentiment d'un vieillissement de la population). Troisièmement : le monde arabe est constamment en mouvement, comme la société américaine. Depuis la chute de l'Empire ottoman, les migrations au sein du monde arabe sont constantes, comme celles des Américains à l'intérieur de leur pays-continent. Enfin, il me semble que nos deux mondes qui se heurtent témoignent d'un même patriotisme identitaire, alors qu'en Europe l'individualisme a laminé tout attachement de cette nature. Tout cela ne peut que donner un mélange particulièrement explosif, non ? »

Youssouf Mirkis raconte que, comme tout Irakien, il a été élevé dans le mépris et la haine des juifs, sentiment difficile à réprimer jusqu'à ce jour de 1995 où, de passage en France, il a eu le courage de pousser la porte d'une synagogue et d'assister à la prière. Cet acte a changé sa vision du judaïsme.

Puis il reprend sa réflexion : « En Occident, il existe de nombreux intellectuels et dirigeants politiques qui jouissent d'un certain prestige et s'expriment en toute liberté ; ici en Orient, il n'y en a pas. Ce qui multiplie les non-dits au sein de la société. Rien ne sort dans l'espace dit public, et ces non-dits, en se développant, engendrent de la haine. Cette haine n'est pas celle de dirigeants politiques ou d'intellectuels, elle affecte les masses. Malheureusement, personne ne peut empêcher un homme de religion d'exploiter cette fibre-là ! Je suis convaincu que les pays musulmans souffrent aujourd'hui d'une neurasthénie sociale à grande échelle, ou d'une dépression communautaire qu'il serait intéressant d'analyser. L'impossibilité de faire entendre sa voix provoque ces mouvements de haine. Imperceptiblement, notre société glisse vers un éloge du suicide, ou, en tout cas, de la résistance. Il faut envisager le terrorisme comme une surenchère, au sens de l'inflation d'un langage devenu fou : un terroriste dispose de peu de mots, il agit violemment dans le seul but de se faire entendre, c'est-à-dire, pour lui, de survivre ! Le terroriste commence par refuser ; puis il crie, il crie, il crie… et, finalement, lassé de ne pas se faire entendre, il tue ou il se tue, ou les deux en même temps. Cette descente aux enfers est d'ordre purement psychologique, car il n'est pas normal que des jeunes aient envie de se tuer. Souvent, quand je voyage en Occident, mes interlocuteurs me demandent comment nos populations vivant dans des conditions aussi dangereuses peuvent faire autant d'enfants. Je leur réponds que c'est normal : plus un pays protège la famille en tant que telle, moins les gens font d'enfants à cause de la Sécurité sociale et des autres avantages sociaux. Inversement, les sociétés les moins protégées sont celles qui sont les plus prolifiques, les enfants apparaissant comme la seule “sécurité” d'un avenir incertain ! »

Non loin de l'église des frères dominicains, assis sur un tabouret au milieu du chantier de sa belle galerie fermée pour cause de travaux et d'insécurité, le peintre

Qasim Al-Sabti se désespère. Fervent opposant au régime de Saddam, il ose aujourd'hui déclarer qu'« on aurait besoin d'un homme comme l'ex-raïs, ou d'une forte poigne de cette trempe pour venir à bout des bandits et des tueurs. Parce qu'il faut remettre de l'ordre ! » Lui aussi affirme détester le « style américain » et le type de démocratie que les militaires veulent imposer. « Après trente-cinq années de dictature, comment obtenir une démocratie comme par magie ? On a besoin de temps. Aujourd'hui, le parti Dawa (chiite) est influencé par l'Iran ; les Américains, qui ont à peine la tête hors de l'eau, se font tuer tous les jours ! » Qasim identifie trois types de terroristes : ceux qui viennent des pays islamiques voisins, « invités » par les Américains ; les forces de police ex-baasistes ou « orphelins de Saddam » ; enfin, de simples Irakiens qui « ont décidé de virer l'occupant ».

Pour ce galeriste qui a côtoyé de nombreux Occidentaux (ses meilleurs clients) avant que ceux-ci ne désertent la capitale irakienne, l'image projetée par la société occidentale dans les pays musulmans est désastreuse : « Récemment, à la télévision, j'ai regardé un reportage sur un homme, aux États-Unis, jugé pour avoir massacré sa femme et ses enfants. Pour moi, cet homme devrait être tué, un point c'est tout. Pourquoi tergiverser ? Je déteste cette mentalité hypocrite américaine, ainsi que leur culture de bas étage, vile, *cheap* et pornographique ! Si c'est ça la démocratie, personne n'en veut ici... », commente-t-il en m'assurant lui aussi que, devant ces horreurs, sa fille de onze ans détourne d'elle-même les yeux du téléviseur.

Puisque nous sommes à la veille de deux événements politiques majeurs (le référendum sur la Constitution et les élections législatives), je décide de rendre visite à la principale formation islamique sunnite du pays, le Parti islamique irakien[1] (issu du groupe islamiste des Frères musulmans), qui a finalement accepté l'accord sur le projet de Constitution et invité ses partisans à voter oui au référendum du 15 octobre, cependant que le Comité des oulémas, la principale association religieuse sunnite du pays, condamnait la position du Parti islamique, l'accusant d'avoir « rompu le consensus sans consulter les autres groupes » sunnites.

Le projet de Constitution, document largement inspiré par les Américains, prévoit la création d'un État

---

1. Le Parti islamique irakien, un des principaux partis politiques musulmans non chiites en Irak, a été fondé en 1960. Il était clandestin sous Saddam Hussein et a rejoint le gouvernement irakien pro-américain après l'invasion du pays par les forces militaires américaines. Il s'en est retiré le 9 novembre 2004, après l'assaut donné contre Falloudja, et a boycotté les élections générales irakiennes du 30 janvier 2005. Après un accord de dernière minute, il a accepté de participer aux élections à la condition que la Constitution puisse ensuite être amendée par le Parlement.

fédéral plus ou moins coupé en deux entre, au sud, une zone constituée de neuf régions, supervisée par les chiites, et, au nord, les provinces autonomes kurdes telles qu'elles existaient sous Saddam. Il est également prévu que les Kurdes conservent leur milice de soixante mille hommes, ces fameux *pechmergas* qui continuent de faire peur aux autres minorités, turcomanes et sunnites.

Quand nous arrivons dans l'enceinte de ce qui accueille aujourd'hui la direction du Parti islamique irakien après avoir longtemps servi de quartier général au parti Baas, notre voiture est entièrement fouillée : à l'approche des élections, la méfiance a redoublé. Dans l'immense salle d'attente, les murs sont tapissés d'affiches prédisant qu'« Allah va nous réunifier » ; ici et là, des photos de la bataille de Falloudja montrent des enfants blessés ou mourants. Sur un autre pan de mur trône une imposante horloge à côté d'un poster représentant la Pierre noire de La Mecque. Je feuillette le journal du parti, *Dar Al-Salam*, dont la une du jour proclame que « les politiciens américains vont offrir l'Irak à l'Iran ». Soudain, les cinq ventilateurs s'arrêtent et, tandis que leurs pales cessent lentement de tourner, la chaleur nous assaille déjà. Après des minutes qui semblent interminables, ils se remettent en marche.

Tariq Al-Hashimy, l'homme à l'allure très occidentale qui nous acueille en chemise et pantalon de coton, est le « vice-directeur général » du parti. Ses premiers mots dénoncent sans ambages la situation de l'Irak depuis le printemps 2003 : « Les Américains et la coalition qu'ils dirigent sont des barbares, et nous vivons sous un régime monstrueux d'occupation. Ce sont des sauvages qui ne respectent en aucun cas les droits de l'homme ! », accuse-t-il, citant en exemple les perquisitions que subissent quotidiennement les Irakiens, notamment sunnites : « La police irakienne, que les Américains ont soi-disant "formée", s'en donne à cœur joie : elle détruit les intérieurs et vole les habitants. Parce qu'elles n'arrivent pas à débusquer des membres de la résistance, les forces de l'ordre s'en prennent aux civils innocents. Quand elles arrêtent un individu, elles l'emmènent on ne sait où et le jettent en prison sans mener la moindre enquête ! », s'insurge-t-il. L'homme qui respectera par la suite la consigne de son parti (voter oui au référendum) est pourtant convaincu que le projet de Constitution est fondamentalement mauvais, « car ce genre de texte doit être rédigé en temps de paix, lorsque l'ensemble de la population est en accord avec elle-même. La Constitution est écrite pour le peuple et non pour ceux qui gouvernent, qu'ils soient kurdes ou chiites », croit-il bon de rappeler.

Pour Tariq Al-Hashimy, la vieille Constitution de 1925 devrait être encore appliquée. Au reste, assure-t-il, de nombreux pays vivent sans Constitution : « Avant de se préoccuper de donner à l'Irak une nouvelle Constitution, il faudrait au minimum que deux conditions soient remplies, souligne-t-il. Que les Américains quittent le pays, et qu'on ait pu procéder à des élections normales. » Sitôt les troupes américaines parties, le pays ne plongerait-il pas dans la guerre civile ? La réponse d'Al-Hashimy est déjà prête : l'implication des forces de paix des Nations unies est le seul moyen de stopper la résistance, condition préalable à l'organisation de tout scrutin. « Une autre solution serait l'annonce par les Américains d'un échéancier pour leur retrait, qui aurait également pour effet d'annihiler la résistance à 80 % », assure-t-il. « Seul Al-Zarqaoui, peut-être, resterait indifférent à cette nouvelle donne, car c'est un personnage qui ne croit ni à la démocratie ni à l'efficacité d'un quelconque nouveau gouvernement. Sa vision de l'islam, extrêmement rigoriste, implique que seul Allah est à même de juger les humains et d'organiser leur vie. »

En ce qui concerne les rapports avec l'Occident, Tariq Al-Hashimy déplore que, dans les pays riches, l'économie et ses règles prennent le dessus : « Notre vision de la civilisation est plus traditionnelle ; nous tenons à des valeurs telles que l'égalité, le respect de l'être humain et de ses libertés. Je voudrais souligner que l'islam respecte toute autre religion issue du

Livre, comme celle des juifs ou des chrétiens. Notre religion nous a toujours permis les mariages mixtes ou les repas en commun. C'est le régime d'occupation et sa violence qui ont fait perdre leur tolérance à nos combattants ! N'oublions pas que nous avons bien accueilli les Américains lorsqu'ils nous ont libérés ; on a commencé à résister uniquement lorsqu'ils ont annoncé vouloir rester pour un temps indéterminé. Et tout a empiré lorsqu'ils ont multiplié les mauvais comportements, tuant des innocents lors de manifestations pacifiques, ou piétinant un homme à terre lors d'arrestations. C'est bien le signe de leur ignorance complète de nos valeurs et traditions ! »

L'homme tâche de rester calme, mais sa colère prend le dessus lorsqu'à son tour il évoque le fameux livre de Samuel Huntington sur le « choc des civilisations » : « Bush a tout d'un sioniste chrétien qui veut imposer sa religion et ses valeurs à cette partie-ci du monde. Je ne suis pas d'accord avec le livre de Huntington, je pense que les civilisations, malgré leurs différences, peuvent cohabiter pacifiquement, mais ce choc, justement, l'Amérique est en train de le provoquer par la force... »

Tariq Al-Hashimy souhaite me fournir des informations sur les violations des droits de l'homme perpétrées par les soldats américains, mais aussi par les officiers de la police irakienne « qui tuent sans preuve, jettent les corps dans la rivière après les avoir torturés à la scie électrique ; et les Américains sont parfaitement informés de ces pratiques puisque, d'après ce qui nous est rapporté, au cours de leurs propres perquisitions, ils menacent les pauvres Irakiens de les remettre aux forces de police irakiennes ! » En partant, il me remettra un rapport du Parti sur ce thème, illustré de nombreux clichés détaillant les tortures. « Nous avons transmis toutes ces informations au gouvernement, mais il ne s'en préoccupe pas. »

En parlant avec la population, je me suis en effet rendue compte que les Irakiens n'éprouvaient aucun respect pour leur police à laquelle jamais ils ne se confieraient en cas de danger. Ces hommes font sans vergogne étalage de leur présence, et le contraste est grand avec Saddam et ses sbires qui, me raconte-t-on, se déplaçaient de manière à peine repérable tant le raïs tenait à ne pas se faire remarquer. Aujourd'hui, quand je regarde passer à toute allure les convois de policiers en 4x4 aux vitres teintées, laissant parfois entrevoir, quand elles sont ouvertes, des silhouettes aux visages masqués, en uniforme noir, le fusil mitrailleur pointé sur la population, je me dis que ces flics aux allures de Rambo semblent avoir adopté les pires habitudes des Américains, en premier lieu l'arrogance.

Nous plongeons à nouveau dans les embouteillages monstres des berges du Tigre pour rejoindre Abdel

Salam Dawoud Al-Kubaisi, le leader de l'Association des oulémas sunnites[1], dans son bureau de la gigantesque mosquée Oumm Al-Qura, un complexe religieux construit il y a seulement sept ans. Résolument opposée à l'occupation, l'association n'a cessé d'appeler les Américains à quitter le pays et a boycotté les élections législatives du 15 décembre 2005[2].

En passant devant le stade Malaab al-Shaab, je remarque deux posters de leaders du parti Baas dont les têtes sont mises à prix à un million de dollars pièce. La danse continuelle et bruyante, dans le ciel bas, des hélicoptères Apache, les aberrants contrôles routiers et les incessants convois militaires rappellent que la capitale irakienne est devenue un véritable camp retranché. Pourtant, dans ce chaos, les marchands de meubles persistent à exposer leur encombrante marchandise sur les trottoirs empoussiérés, les vendeurs de chaussures de Karrada dorment toujours à poings fermés, en plein après-midi, à même le sol carrelé de leur boutique, et

1. Créée le 14 avril 2003, cinq jours après la chute du régime de Saddam Hussein, cette association, appelée aussi Conseil des oulémas, regroupe tous les oulémas sunnites du pays. Depuis l'occupation, ce Conseil a pris en charge les mosquées du pays et le financement de ses imams. Il aide les familles défavorisées ainsi que les membres des familles des « martyrs », des blessés et de ceux qui ont été capturés par les forces américaines.

2. Le 7 janvier 2006, les locaux de l'Association des oulémas sunnites ont été perquisitionnés par l'armée américaine.

les jeunes Bagdadis continuent à se réunir au crépuscule devant restaurants et supermarchés (pourtant cibles de prédilection des terroristes) pour deviser tranquillement, échanger frénétiquement des textos en tapotant à toute vitesse sur le clavier de leurs téléphones portables, ou se faire mutuellement écouter les dernières sonneries à la mode, tel ce hit d'une chanteuse libanaise, ou l'appel du muezzin particulièrement mélodieux de telle ou telle mosquée. Des portions de murs disparaissent sous les graffitis. Ici je lis, peut-être tagué par un Américain : *« Jesus loves you »*, en anglais ; là, sur une porte, un maladroit *« American Army Go Hell ! »* a été peint en rouge. En cette veille de Ramadan, les cérémonies de mariage ajoutent au désordre général et de nombreux convois de jeunes époux sont bloqués dans les ralentissements monstres, sous l'œil blasé des soldats américains.

Quand j'entre dans l'antichambre du cheikh, la télévision est branchée sur Al-Majd, une chaîne religieuse saoudienne[1], qu'on change (à mon intention ?) pour Al-Jazira. Entre les secrétaires du cheikh et ceux qui attendent d'être reçus, les discussions vont bon train et les critiques fusent à propos du gouvernement irakien,

1. Créée en 2002, dont le siège est à Dubaï. Son slogan : « La chaîne du saint Coran ».

accusé de mal contrôler le pays. Ici aussi, on est traumatisé par les descentes particulièrement violentes d'individus en civil, la nuit, au domicile d'Irakiens sunnites, ou par la mise à sac de commerces sunnites. L'assistant du cheikh me remet cinq cédéroms remplis de photos « pouvant servir de preuves ». « Dès réception, nous transmettons toutes ces informations aux Nations unies, même si nous savons d'avance que cela ne servira probablement à rien », explique Abdel Salam Dawoud Al-Kubaisy, qui a aimablement commencé l'entretien en me remerciant de ma visite et en soulignant tout le bien qu'il pense de mon pays, « où le gouvernement et la population vivent plus en harmonie qu'ailleurs de par le monde. »

Le religieux a beaucoup voyagé, notamment en France et en Italie (où il se trouvait pendant les manifestations anti-américaines du printemps 2003), mais aussi en Turquie et au Japon où il a visité Hiroshima, lieu qui l'a particulièrement marqué. Il a même gardé en mémoire un documentaire télévisé où le pilote américain qui a lâché l'arme atomique sur la ville japonaise s'affirmait aujourd'hui encore fier de son acte. « Les militaires américains viennent constamment nous voir et nous demandent de faire cesser la résistance. Inlassablement, je leur réponds que nous pourrions éventuellement y parvenir (car les combattants respectent notre voix), à condition que nous obtenions d'eux leur départ ou, tout au moins, un calendrier de retrait. En décembre 2004, un de leurs généraux m'a même affirmé qu'ils étaient prêts à libérer tous les prisonniers, à stopper les perquisitions et à reconstruire Falloudja contre la promesse de nous prononcer ouvertement en faveur d'un arrêt total de la résistance ! "Irrecevable", lui ai-je répondu. Et nous en sommes restés là. Car les Américains ne nous comprennent pas et ne nous comprendront jamais ; ils se moquent de notre culture. Un autre de ces généraux n'avait pas hésité à discourir sur leur capacité de grand pays civilisé à créer et développer de nouvelles civilisations. "Comme ce que nous avons fait au Japon, pays qui s'est bien développé et où nous sommes toujours présents !", avait-il cru bon d'ajouter, s'arrêtant en remarquant mon sourire. "D'abord, lui ai-je rétorqué, votre 'civilisation' est bien jeune par rapport à la mienne, et à propos du Japon, si vous ne l'aviez pas bombardé, ce pays se serait-il peut-être développé différemment, et bien plus encore"... »

Dégoûté par l'occupant, le cheikh l'est encore davantage par le gouvernement irakien, « qui fait porter toute la responsabilité du terrorisme à Zarqaoui afin de cacher ses propres atrocités... ». Quant aux « islamistes » mêlés aux différents groupes qui se battent contre l'occupation américaine, le cheikh reconnaît leur nombre élevé, mais dit « comprendre » leurs motivations pour le *djihad* :

« Nous autres musulmans, respectons les traditions d'autrui mais refusons qu'on nous impose quoi que ce soit par la force ! Si, par exemple, nous voulions transmettre à un autre peuple des valeurs "islamiques", nous n'utiliserions pas la force, qui est un recours incorrect. Je sais que les membres de ces groupes sont des ignorants de l'islam, honte à eux, mais les Américains devraient admettre que leur comportement provoque encore plus de vocations de ce genre ! Pour moi, ces jeunes "islamistes" sont avant tout des patriotes : ils aiment leur patrie, aujourd'hui occupée militairement ; et ce sentiment, plus fort que tout, leur fait oublier le reste. Ces jeunes sont obsédés par un amour aveugle pour leur pays, leur religion, et donc par leur haine des autres. » Convaincu que la participation réelle aux élections est bien moindre que ce que les chiffres officiels veulent faire accroire, Abdel Salam Dawoud Al-Kubaisi déplore, lui aussi, les actes d'un gouvernement qui lui paraît entièrement à la solde des Américains. D'après lui, la population chiite irakienne, qui vient pourtant de gagner les élections[1], reste si désemparée que, « si un ex-membre du parti Baas venait à se présenter au pouvoir, ils l'accueilleraient à bras ouverts ».

1. Les partis religieux chiites ont gagné 128 sièges sur les 275 du Parlement.

Au siège du parti chiite Dawa où Walid Al-Hilly, un des hauts fonctionnaires, accepte de me recevoir « rapidement » avant de se rendre à un autre rendez-vous, on se montre officiellement beaucoup plus modéré, mais la méfiance envers le visiteur semble encore plus forte : en sus de l'inspection de la voiture, on me fouille au corps et on me confisque mon téléphone portable, mon téléphone satellite Thuraya et mon appareil photo numérique. Vêtu d'un complet trois-pièces gris perle, l'homme à la fine barbe a tout d'un gentleman. Lourdement décoré et meublé d'imposants divans verts et dorés, son bureau me rappelle le mauvais goût des fonctionnaires du nouveau régime post-soviétique en Russie. La préoccupation principale du parti Dawa est d'éliminer du pouvoir les ex-baasistes, accusés d'être les principaux instigateurs de la résistance anti-américaine : « Tous les ministres d'Iyad Allawi[1] sont corrompus. C'est normal, il a conservé trop de baasistes alors qu'il aurait dû s'en débarrasser, comme les Américains

1. Iyad Allawi a été Premier ministre par intérim du gouvernement irakien jusqu'au 7 avril 2005, date à laquelle il a été remplacé par Ibrahim Al-Jafari. Membre de la communauté chiite, ce neurologue britannique (il a vécu environ la moitié de sa vie au Royaume-Uni et garde sa nationalité britannique) et irakien était un militant politique en exil, nommé chef du Conseil de gouvernement irakien par intérim créé par les États-Unis. Quand le Conseil a été dissous, il a été nommé Premier ministre, le 1er juillet 2004, et il est ainsi devenu le premier chef du gouvernement depuis la chute de Saddam Hussein.

avaient tenté de le faire dès les premiers mois de l'occupation. En Irak, les chefs des principaux groupes terroristes sont contrôlés par des membres du parti Baas, même si ceux-ci préfèrent faire croire qu'il s'agit de Zarqaoui ! Toutes les cibles des attentats sont choisies par des baasistes qui connaissent ce pays mieux que personne. Ces gens-là sont foncièrement opposés à la démocratie, car ils savent qu'ils ne reviendront jamais au pouvoir par les urnes ; c'est pourquoi ils ont opté pour la force. » Du Parti islamique iraquien, Walid Al-Hilly dira seulement qu'il est infiltré par les ex-baasistes, donc sous influence des terroristes.

« Bienvenue à Falloudja, la ville-prison ! Ici, impossible de se déplacer librement et en toute sécurité, même à l'intérieur de la cité ! » Omar, trente-cinq ans, agacé et ironique à la fois, est tout de même fier de me présenter « sa » ville où plus un journaliste ne se rend depuis les violents combats de novembre 2004. Nous sommes à une quarantaine de kilomètres à l'ouest de Bagdad, dans la capitale du « triangle de la mort » sunnite. Un an quasiment après les féroces combats entre l'armée américaine aidée des forces irakiennes et les insurgés, peu de choses ont changé, et les « événements de novembre » sont encore dans tous les esprits.

« Une fois entrés dans notre cité, les Américains ont installé leur base et s'y sont calfeutrés, se remémore

Omar. Quant aux moudjahidin (combattants de la résistance) qui, évidemment, avaient pris soin de quitter la ville avant l'assaut, ils sont presque tous revenus et, depuis lors, poursuivent leur guérilla en se camouflant au sein de la population, voire en infiltrant les forces de l'ordre locales. Résultat : le niveau d'insécurité est plus grand que jamais. » Omar tente avec peine de garder le sourire. Rentré chez lui en février 2005, le jeune homme a repris sans grand entrain son activité de directeur des services techniques de la municipalité. « J'ai été le premier à rentrer, raconte-t-il non sans un certain contentement. C'était plutôt triste de déambuler dans ces rues dévastées, aux maisons détruites et pillées. Par chance, la mienne était encore debout et les meubles n'avaient pas été volés. J'imagine qu'elle a dû servir de quartier général à l'une des factions de combattants, avant qu'ils ne soient contraints au départ. On sait aujourd'hui que les Américains ont utilisé des bombes au phosphore mais, sur le moment, ceux qui sont restés n'en avaient aucune idée[1]. »

---

1. Fin novembre 2005, le Pentagone a admis avoir fait usage d'armes au phosphore, fin 2004, à Falloudja, précisant toutefois que le phosphore « n'est pas une arme chimique » et que « les civils n'étaient pas visés ». Très toxique, le phosphore peut provoquer des brûlures mortelles. Son usage est possible, mais le protocole III de la Convention de 1980 interdit de l'employer contre les populations civiles. Les États-Unis ont paraphé la Convention de 1980, mais ils n'ont pas signé le protocole III.

Entrer et sortir de Falloudja reste difficile et périlleux, la zone étant censée être « sécurisée » par la police irakienne. Un strict régime de contrôle des passages est toujours en vigueur, qui fait perdre de nombreuses heures aux barrages. Passé 19 heures, par exemple, impossible de rentrer dans la ville : les retardataires dormiront hors les murs. Pour une journaliste non « intégrée » dans un bataillon américain (occidentale, qui plus est), il n'y a qu'une solution : se vêtir comme les habitantes de la « capitale » sunnite, réputées pour leur conservatisme. J'ai donc franchi les deux *check-points* militaires de l'entrée de la ville dans la voiture d'Omar, venu me chercher avec sa femme, sa mère et ses deux filles ; à sa droite, son épouse, muette pendant tout le parcours, dont le foulard facial ne dévoilait que les yeux, serrait sa fille cadette (un bébé de quelques mois) dans ses bras aux mains gantées ; installée sur la banquette arrière aux côtés de la vieille mère d'Omar et de son autre fille âgée de six ans, j'avais moi aussi passé une paire de gants noirs ; mon foulard également noir ne laissait pas dépasser un cheveu, et, par-dessus ma longue jupe, j'avais revêtu une ample *abbaya* dissimulant l'ensemble du corps.

Les nombreux convois ralentissaient la circulation et nous obligeaient à les dépasser par la droite ou par la gauche, moyen toujours hasardeux de gagner du temps, les bas-côtés de la route pouvant être minés.

(Les mauvaises langues disent d'ailleurs que les Américains ont ainsi trouvé les meilleurs démineurs du monde : les autochtones impatients !) Après deux bonnes heures de route, nous sommes parvenus à la lisière de la ville. En silence, il nous a fallu attendre patiemment dans la file d'automobilistes. Au premier poste, des soldats irakiens ont vérifié l'identité du conducteur ainsi que l'adresse précise de son lieu d'habitation à Falloudja. Au second poste, distant de quelques centaines de mètres seulement, on nous a demandé de descendre du véhicule pour nous contrôler. L'épouse d'Omar, sa mère et moi avons été fouillées par une femme soldat américaine à l'air las, sans que quiconque ne songe à nous demander nos papiers. Mon téléphone satellite était resté dans la boîte à gants de la voiture, qui n'a pas été ouverte. Quant à Hussein, mon accompagnateur, nous nous étions arrangés pour qu'il emprunte un autre chemin, avec des amis d'Omar. Nous nous sommes retrouvés plus tard au domicile de nos hôtes.

À Falloudja, le niveau de destruction de la grand-rue est impressionnant : de part et d'autre, il ne reste qu'un monceau de ruines ou des murs de béton troués par les tirs de l'artillerie et par l'aviation américaines. Onze mois après l'opération qui dura onze jours, provoquant la mort de cinquante et un soldats américains et celle de huit Irakiens parmi les troupes gouvernementales, l'activité principale des hommes de cet ex-bastion islamo-baasiste consiste à manier la truelle pour reconstruire les maisons. Nulle nécessité, pour les blindés américains, de tenir à distance les automobilistes ni de les menacer comme à Bagdad : la circulation est tout bonnement interdite dans le secteur.

Ici le couvre-feu est décrété à 22 heures, une heure plus tôt que dans la capitale. « En cas d'urgence, c'est l'horreur, précise Omar. Souvent, nos ambulanciers préfèrent ne pas prendre de risques. Mais ça dépend sur qui tu tombes. La semaine dernière, la femme enceinte d'un de mes voisins a perdu les eaux à 22 heures précises. Personne n'osait l'emmener à l'hôpital. On a fini par la cacher à bord d'un camion de pompiers qui est miraculeusement passé ! » Dans les rues, l'angoisse est patente. Les échoppes des artères encore si commerçantes il y a peu, ferment aujourd'hui vers 14 heures. Derrière le bazar central, on découvre un nouveau cimetière, celui des *chahids* (martyrs) de l'agression américaine de novembre 2004. Gardé jour et nuit, de très nombreux parents y déambulent dès l'aube. La plupart des écoles, dont les bâtiments avaient été réquisitionnés par l'armée américaine, sont encore fermées. Les enfants n'ont rien à faire, si ce n'est jouer à espionner les Américains pour les plus jeunes, ou à s'enrôler dans les différentes armées de moudjahidin, pour les autres.

Omar fait la différence entre « les vrais moudjahidin, intelligents, rompus aux stratégies de guérilla », qui savent comment se comporter politiquement et militairement en cas d'attaque de l'ennemi, et les autres, grassement payés par les Américains afin qu'ils cessent de combattre, « de véritables Branquignol ». Méthodiquement, il raconte le quotidien de la capitale du « triangle sunnite » avec ses explosions sur les routes et les tas d'ordures où les moudjahidin dissimulaient des bombes, jusqu'au jour où les Américains ont compris et ordonné un nettoyage en bonne et due forme de ces traquenards potentiels – « ce qui a rendu la ville beaucoup plus propre ! », s'amuse-t-il. Même Hussein, qui ne vit pourtant pas bien loin, à Bagdad, n'avait pas entendu parler de ce harcèlement quotidien des Américains par la résistance. « Nous sommes les seuls au courant, parce que nous vivons dans un huis clos. Les journalistes qui travaillent pour les télévisions étrangères ne se hasarderaient jamais à montrer la coalition pro-américaine dans un tel état… », assure Omar. « Les imams et les prédicateurs de nos mosquées sont étroitement surveillés. Gare à celui qui évoquerait la situation d'une façon qui ne plaît pas aux occupants ! Un jour, l'un d'eux a déclaré à sa communauté qu'observer la situation patiemment, passivement, en espérant que l'occupant se retire, était une forme de *djihad* aussi louable qu'une autre. Le lendemain, il était arrêté sous prétexte d'incitation à la violence ! »

Pour Omar, rien ne s'est amélioré non plus dans le secteur des affaires : « Tout le monde le dit : aujourd'hui, sous l'occupation américaine, c'est aussi difficile de faire des affaires que sous Saddam, car si auparavant on devait avoir des connexions avec l'entourage du raïs, aujourd'hui il faut être bien vu de l'armée américaine, ce qui est encore plus difficile ! », souligne-t-il.

Un instituteur à la retraite, de passage dans la maison du père d'Omar pour lui faire signer une pétition contre la nouvelle Constitution, insiste pour me parler : « Au cours de ces derniers mois, nous avons découvert que les Américains étaient de véritables tueurs... Les médias du monde entier, qui s'étaient tous donné rendez-vous à Falloudja pendant les journées noires [de novembre] se sont volatilisés. Pourtant, c'est aujourd'hui qu'ils devraient venir. Car c'est en ce moment que nombre de familles irakiennes doivent subir les perquisitions quotidiennes de la soldatesque américaine ! C'est maintenant qu'on se fait arrêter dix fois par jour par des militaires étrangers qui nous indiquent la route à prendre dans *notre* ville, celle qui nous a vu naître, où nous avons grandi et travaillé ! C'est aujourd'hui que les "valeurs" démocratiques nous sortent tellement par les yeux que nous nous posons de sérieuses questions sur la démocratie ! », déclame-t-il en criant presque.

Ici aussi, j'entendrai ces accusations qui imputent la plupart des explosions aux occupants eux-mêmes. Pour de nombreux Irakiens, Oussama Ben Laden n'est qu'une création des services secrets américains permettant de légitimer « proprement » leur agression. « Même Zarqaoui est une de leurs créatures ! On entend parler de lui sans cesse, mais on ne l'a jamais vu et on commence à douter sérieusement de sa présence ! », clame l'instituteur. « Les Américains n'ont qu'une idée en tête : provoquer la guerre civile pour asseoir définitivement leur emprise sur notre pays. » Les « islamistes » de Falloudja n'ont qu'un grief envers l'Occident : « nous avoir attaqués militairement. Peut-être aussi regrettons-nous de n'avoir quasiment pas vu de manifestations antiguerre, chez vous. Cela nous a rendus fous », reproche-t-il encore.

Assis en tailleur autour d'une toile cirée déroulée à même le sol sur laquelle a été posé l'incontournable plat de riz au poulet, des amis d'Omar me présentent à Youssouf, un émir (chef) de l'« armée de Mohammed », un des nombreux groupes d'insurgés de Falloudja. Youssouf est connu pour sa bravoure au combat et révéré parmi ses soldats qui l'admirent aussi pour son « islamisme », c'est-à-dire son mode de vie en harmonie avec les préceptes d'Allah. À Falloudja comme à Bagdad et partout ailleurs en Irak, la résistance se méfie de tout interviewer potentiel, et il n'a pas été aisé de persuader ce moudjahid de venir chez des amis d'Omar. Obsédés par la crainte de l'espion, les moudjahiddin redoutent que les journalistes se présentant comme tels soient en fait envoyés par l'ennemi. Ils font remplir à leur interlocuteur éventuel un questionnaire extrêmement détaillé à propos de ses motivations et de sa vision de la situation irakienne. Ils vont lire sur Google ce qu'il a écrit et ce qui a été écrit sur lui. Bien que mes nombreuses publications sur la Tchétchénie et mon exposé de la guerre russo-tchétchène[1] aient plaidé en ma faveur, il m'a fallu attendre plusieurs jours avant de recevoir une réponse positive, et les précautions prises autour de cette rencontre ont été grandes du côté des résistants comme du mien.

« J'ai peur », reconnaît l'émir, la quarantaine, ancien chauffeur de bus entre Falloudja et Bagdad. « Pas des soldats américains que nous cherchons à combattre en face à face, le plus souvent possible, mais de l'infiltration de nos rangs par un traître. Il nous faudrait connaître le passé de chacun de nos soldats, dans la mesure du possible, évidemment. Quant aux journalistes, si vous aviez eu un passeport américain, jamais on ne vous aurait reçue. Pour nous, tout journaliste américain est un agent potentiel du gouvernement

1. *Cf. Chienne de guerre*, Fayard, 2000, et *La guerre qui n'aura pas eu lieu*, Fayard, 2004.

de Washington. Pourquoi accepterions-nous de lui parler ? » Dans la ville détruite, raconte-t-il, les insurgés ont largement eu le temps de se regrouper depuis l'assaut. « Après nous avoir longuement bombardés, et alors que la fin officielle des opérations avait été déclarée, les Américains ont brûlé nos maisons en rejetant la faute sur nous. Aujourd'hui, ils continuent à incarcérer à tour de bras. Ils ne se rendent pas compte que cette stratégie n'a qu'une conséquence : excédés, de plus en plus de jeunes, jusque-là très peu concernés par le *djihad*, viennent grossir les rangs de notre armée et se radicalisent sous nos yeux au fur et à mesure que grandit leur haine de l'envahisseur. Finalement, le comportement des Américains influe positivement sur la perception que la population a de nous : auparavant, nous pouvions être méprisés et parfois marginalisés par nos propres concitoyens ; aujourd'hui, à leurs yeux, nous sommes des héros ! », expose l'homme. « George Bush a bien affirmé un jour que tout pays sous occupation avait le droit de se battre, non ? Eh bien, c'est ce que nous faisons, et nous appelons ça le *djihad*, voilà tout ! Au début, nos groupes n'étaient constitués que de jeunes du coin, comme moi. Peu à peu, sont apparus des combattants de Syrie, d'Arabie Saoudite, de Jordanie, et plus récemment d'Afghanistan. De trois opérations par semaine, nous sommes passés à quatre par jour, tous groupes confondus. »

L'homme au nez busqué, à la barbe taillée et à l'étincelante chevelure de jais, repose son verre de Pepsi et attend une autre question.

Les résistants de Falloudja sont-ils forcément en faveur d'un retour au pouvoir de Saddam Hussein ? Le combattant sourit et se lisse la barbe. « Personnellement, je ne suis ni un ancien militaire ni un ex-membre du parti Baas. J'ai un certain respect pour Saddam, même si je n'ai pas toujours été d'accord avec sa politique. Oui, je suis sunnite, comme l'étaient mes ancêtres, reconnaît-il, mais quelle importance ? Ce qui compte, c'est que tous ensemble, sunnites, chiites, nous chassions les Américains hors de notre pays. »

La dizaine d'hommes présents hochent silencieusement la tête.

Youssouf se définit comme un « salafiste normal », c'est-à-dire le partisan d'une doctrine fondamentaliste islamiste sunnite revendiquant un retour à l'islam des origines. Mais il tient à ne pas être amalgamé avec ceux qu'il appelle les « salafistes takfiris », « de vrais terroristes du groupement Tawhid wal djihad, dirigé par Al-Zarqaoui ». À propos de celui-ci, Youssouf n'a « rien à dire ». « Les takfiris sont en faveur de l'instauration d'un régime politique islamique pur. Pour eux, regarder la télévision est *harâm* (illicite), et ils refusent l'existence de toute minorité religieuse en terre d'islam. Nous, nous sommes en faveur d'un gouvernement qui ne serait pas totalement islamiste, mais accepterait certains préceptes de la *charia* ; par ailleurs, nous tenons à dire que nous tolérons les autres religions si elles acceptent de vivre selon les règles de notre État. »

Youssouf est à la tête d'un groupe de trois cents combattants environ, qu'il appelle simplement ses « moudjahidin ». Chaque « armée », explique-t-il brièvement, est subdivisée en groupes de spécialistes chargés de la reconnaissance, des explosifs, de l'espionnage, etc. Depuis novembre 2004, comme beaucoup d'hommes ont péri ou ont été faits prisonniers, tous les groupes ont été réorganisés. « Nous avons été atteints, mais nous sommes toujours là, plus discrètement que jamais », confie Youssouf. Son « armée » – il refuse pour sa part d'user du terme – compte un nombre de combattants fluctuant, mais les grades y ont naturellement leur importance. « C'est comme un arbre avec des branches : chaque branche élit son chef, souligne-t-il. Nous ne manquons pas d'armes, mais notre problème essentiel est de nous déplacer armés sans être repérés. Après les événements de novembre, nous avons abandonné toute stratégie offensive et nous nous limitons à une guérilla défensive avec, de temps en temps, quelques "contacts" avec l'occupant », explique le combattant. « Le point de friction le plus fréquent est l'autoroute qui va vers Ramadi et la Jordanie. Nous posons le plus possible de bombes au passage des convois, et parfois les fusillades durent près de quinze minutes. La semaine dernière, lors d'un de ces accrochages, nous avons tué dix Américains. Officiellement, ils n'ont admis la perte que de deux hommes, mais, de toute façon, il n'en sera pas soufflé mot dans les médias », ajoute-t-il, blasé.

Les médias cristallisent la haine de bien des moudjahidin : « Nous savons que notre réputation à l'étranger, et notamment en Occident, est mauvaise à cause des images d'exécutions sommaires d'otages diffusées sur Internet, reprend Youssouf. Or ces opérations très médiatiques sont le fait de groupes terroristes qui les revendiquent d'ailleurs toujours. Je tiens à souligner que, terroristes à vos yeux d'Occidentaux, ces gens-là n'ont jamais tué de femmes ni d'enfants innocents comme n'hésite pas à le faire l'armée américaine en Irak… » Prudent, Youssouf ne dénonce ni ne soutient ces images violentes circulant sur la Toile. À propos d'une opération de commandos-suicides qui a fait cent quatorze morts à Hilla en septembre 2005 (pour la plupart des officiers de police irakiens), il avoue seulement : « Nous avons besoin d'être unis contre l'envahisseur, et ces futurs policiers qui ont été formés par les Américains sont des traîtres, car on les a embauchés pour tuer des sunnites. Nous devons les supprimer. »

Autour de nous, une dizaine de ses hommes achèvent de se restaurer. Deux d'entre eux s'échangent les derniers hits égyptiens ou libanais par fichier MP3 sur leurs téléphones portables dernier cri. L'un d'eux me fait fièrement écouter les chants religieux qu'il utilise en guise de sonnerie, et s'amuse à l'idée qu'un individu utilisant ce genre de sonnerie serait immédiatement arrêté si cette musique retentissait par exemple dans un aéroport américain… Un autre, âgé de dix-huit ans, me tend son portable où je visionne une mini-vidéo très en vogue dans les milieux islamistes de Falloudja : une jeune femme lit le Coran pendant que sa fille écoute de la musique ; soudain, la fille s'approche de sa mère, lui retire le Coran des mains, jette le livre à terre et le piétine : elle est immédiatement transformée en hideuse femme-kangourou[1]. « Vous y croyez, vous ? », me lance très sérieusement le jeune homme. Je réponds par la négative ; lui s'exclame : « C'est bien là la différence entre l'Occident et nous : jamais vous ne pourrez admettre le pouvoir du Tout-Puissant ! »

---

1. Quatre mois plus tard, je constate à la lecture d'un article du *Point* que la même vidéo fait fureur dans un quartier de la banlieue parisienne. Le quartier y croit « dur comme fer ». *Cf.* « Deux semaines dans une cité chaude », de Jean-Michel Décugis et Stéphanie Marteau, *Le Point*, n° 1742, janvier 2006, pp. 57-67.

« Trancher la gorge d'un otage n'est pas dans notre style, poursuit Youssouf sans relever les dires péremptoires du jeune homme ; la chaîne Al-Jazira a sans doute diffusé ces vidéos pour faire passer un message aux Américains... Mais, s'il s'agit d'un espion, il faut le supprimer », concède-t-il. Rompant mon mutisme habituel face à mes interlocuteurs, quels qu'ils soient, j'essaie de faire comprendre à Youssouf que ces images n'ont pas seulement un impact négatif sur le gouvernement américain, mais qu'elles affectent l'opinion publique mondiale tout entière. Après une minute de réflexion, l'émir ajoute simplement : « Si mon groupe arrêtait un espion, nous le tuerions sûrement, mais sans filmer la scène. Car on n'a pas du tout envie d'attirer l'attention des Américains ! » Puis il préfère changer de sujet : « J'entends souvent dire que les sunnites en veulent à tout le monde, notamment aux chiites d'Irak ; je voudrais simplement rappeler que notre groupe – et nous ne sommes pas les seuls – a déjà organisé des opérations conjointes avec les hommes de Moqtada Al-Sadr, leader chiite notoire. Nous sommes du même bord et avons les mêmes objectifs. Parlons enfin de la guerre civile que les Américains disent redouter « après leur départ » : elle est déjà là, tangible, nous la vivons au quotidien, provoquée par leur occupation qui n'en finit pas ; et c'est leur politique du "diviser pour mieux régner" qui aboutit à une nouvelle Constitution créant trois Irak en un ! Nous refusons tout autant d'être gouvernés par les Iraniens que par les Américains, et nous résisterons tant que ces deux dangers cohabiteront… »

Nous quittons Omar ; Youssouf le moudjahid (qui a ôté sa *dishdasha* traditionnelle et passé un jean et une chemise pour mieux se fondre dans la foule) tient à me raccompagner dans la voiture d'un de ses amis jusqu'à la sortie de la ville, estimant que je suis désormais sous sa protection. Une des rues de Falloudja a été rebaptisée du nom d'Ahmed Mansour, le correspondant de la télévision qatarie Al-Jazira qui s'est comporté « en héros » pendant les « événements de novembre » en restant aux côtés de la population tout au long de l'attaque américaine, explique Youssouf. « Pas comme ses collègues de Fox News ou de CNN, embarqués avec l'armée américaine ! » Deux postes de contrôle à franchir, et Youssouf est armé : manifestement, il est assuré que, dans ce sens-là, aucune fouille ne sera effectuée. Je me demande comment il va rentrer chez lui. Tout se passera bien : sortir de Falloudja est décidément plus facile qu'y entrer.

Revenus à Bagdad, nous retrouvons la voiture de Hussein, qui a besoin d'essence. Nous décidons de faire la queue devant une des nombreuses stations-service d'État. Alors que, bercés une fois de plus par les mélopées de Julio Iglesias, nous attendons patiemment notre tour, une Mercedes aux vitres teintées vient tranquillement se ranger par la gauche à côté de la voiture qui nous précède. Sa vitre avant droite s'ouvre. Un homme masqué pointe sa kalachnikov sur le conducteur arrêté à sa droite, vitre descendue. La rafale ne dure que quelques secondes, les tueurs redémarrent en trombe. Le véhicule devant nous est tout maculé de sang, son conducteur abattu. Nous contournons le véhicule immobile ; les voitures derrière nous suivent docilement le mouvement. « Comment continuer à vivre dans ce pays ? », commente à voix haute Hussein qui, comme la plupart des Irakiens, ne pense plus qu'à émigrer. « Encore faudrait-il que, là-bas, en Occident, ils nous acceptent », soupire-t-il.

CONCLUSION

Que ce soit en Afghanistan, au Pakistan ou en Irak, les promesses du gouvernement américain ont fait long feu et les conflits s'éternisent, très médiocrement relayés par la plupart des médias occidentaux. Depuis cinq ans, la sécurité ne s'est pas améliorée en Afghanistan, l'allié pakistanais est de plus en plus difficilement contrôlable et la violence en Irak ne montre aucun signe d'apaisement. Oublié, le pari du président américain George Bush de passer rapidement le relais à un pouvoir irakien élu après les législatives du 15 décembre 2005 et de rapatrier son armée à partir du printemps 2006. Oubliés également les grands discours concernant le succès de l'opération « Enduring Freedom » en Afghanistan, et les vaines promcsses de débusquer le terroriste Oussama Ben Laden « mort ou vivant ».

Alors que l'OTAN est supposée étendre la mission de sa Force internationale d'assistance à la sécurité

(ISAF[1]) dans le Sud et dans l'Est afghan courant 2006, les meurtrières attaques de Taliban, dont quatorze attentats-suicides, ne cessent de se multiplier[2] dans ces régions depuis la fin 2005. Lors de la conférence « Afghanistan Compact » qui, début février 2006, a réuni à Londres plus de soixante pays, Washington et Londres, les deux gouvernements les plus impliqués, ont promis près de deux milliards de dollars d'aide supplémentaire et ont reconnu que 2005 avait été l'année la plus meurtrière depuis la chute des Taliban. Sans hésitation, l'insécurité a été placée une fois de plus en tête des préoccupations. Déjà à Tokyo en 2002 et à Berlin en 2004, l'Afghanistan s'était vu remettre près de treize milliards de dollars d'aide, qui a malheureusement échoué à produire des résultats tangibles : plus de quatre années après le départ forcé des Taliban, le pays manque toujours de routes goudronnées, d'eau potable et d'électricité permanente ; tous les projets de reconstruction ont pris du retard. De nombreux Afghans maugréent contre la corruption ambiante,

1. International Security Assistance Force.

2. Treize personnes ont été tuées et treize autres blessées, dont certaines grièvement, le 7 février 2006, lors d'un attentat-suicide revendiqué par les Taliban devant le commissariat principal de la ville de Kandahar.

accusant aussi bien leur gouvernement que les organisations d'aide internationale d'avoir mal employé les fonds ou, tout simplement, d'avoir volé l'argent !

Certes l'Afghanistan dispose aujourd'hui d'une Constitution, d'un président et d'un Parlement élus, mais l'insécurité, le terrorisme et les trafics de drogue[1] ont empiré. Cette même conférence de 2006 a fixé des indicateurs sociaux et économiques pour que, fin 2010, au moins 65 % des foyers soient équipés d'électricité dans les grandes zones urbaines et 25 % dans les régions rurales, tandis que 60 % des filles et 75 % des garçons seront inscrits dans les écoles primaires. D'autre part, dans ce laps de temps, Kaboul s'engage également à achever de constituer son armée nationale avec un effectif triplé de 70 000 hommes. Enfin, d'ici à la fin 2007, tous les groupes armés illégaux devraient être démantelés, un défi plutôt ardu puisque de nombreux ex-Taliban ou « commandants » proches du pouvoir actuel renaclent à abandonner leurs milices.

Un peu plus à l'ouest, dans la capitale irakienne, le « triangle sunnite », et, potentiellement, la ville de Kirkouk (où les tensions entre groupes

---

1. L'Afghanistan fournit 87 % de l'héroïne mondiale.

ethniques sont incessantes[1]), les violences sont quotidiennes. La « démocratisation » du Moyen-Orient piétine : le Hamas, organisation inscrite par les États-Unis sur les listes des mouvements terroristes, a gagné les élections palestiniennes et des partis chiites religieux ont remporté celles d'Irak où la situation politique intérieure paraît bloquée : l'Alliance iraquienne unifiée, cette liste chiite qui a gagné la majorité des sièges lors des élections législatives du 15 décembre 2005, insiste pour que le gouvernement formé reflète exactement le résultat du scrutin. Abdel Aziz Al-Hakim, le leader chiite le plus puissant, a répété que les chiites s'opposeraient à certaines exigences des sunnites – l'annulation des résultats des élections, et surtout, l'amendement de la Constitution. Ce leader refuse également que des sunnites soient nommés à des postes gouvernementaux clés, tels le ministère de la Défense ou celui de l'Intérieur. Les sunnites, quant à eux, soutiennent que la Constitution adoptée par référendum contenait une clause autorisant

1. Le 29 janvier 2006, plusieurs bombes placées dans des voitures ont explosé à Kirkouk, provoquant un mort. Elles visaient des églises de la ville. *Cf.* « City's ethnic and religious groups are warning of creeping sectarianism » par Samah Samad à Kirkouk (ICR N° 162, 1er février 2006, www.iwpr.net).

la modification de son texte après la formation de l'assemblée générale permanente ; ils menacent aujourd'hui de boycotter le nouveau gouvernement.

Interrogeons les chiffres militaires : début février, les décès britanniques dépassaient le chiffre symbolique de cent militaires (pour un contingent de 8 000 individus basés dans le Sud chiite), les troupes américaines (136 000[1]) comptabilisaient leur 2 241e soldat disparu depuis l'invasion d'avril 2003. Selon les déclarations du général George Casey, le commandant-chef américain, de sensibles réductions d'effectifs pourraient avoir lieu au printemps 2006, après la formation et l'engagement d'un gouvernement irakien. On peut imaginer que, même si concrètement rien n'a été précisé, un départ général des troupes américaines pourrait être prévu dans le courant de l'année 2008, c'est-à-dire juste un peu avant l'élection présidentielle de novembre, afin que le sujet de la guerre en Irak, qui a déjà lassé l'opinion publique, passe franchement au second plan.

1. Celles-ci ont été sensiblement réduites après les élections législatives de décembre 2005. Avant ce scrutin, elles totalisaient 160 000 individus en Irak.

Al-Jazira, la chaîne de télévision qatarie, occupe une place de plus en plus grande dans le paysage médiatique. À travers les programmes respectifs de cette chaîne arabo-musulmane et ceux de CNN, la chaîne tout-info américaine, deux mondes se regardent et s'affrontent. Ajoutons que quelques événements médiatiques forts ont contribué à considérablement flétrir la représentation de l'Occident dans les pays musulmans : qui a pu oublier, au printemps 2004, l'image de la soldate américaine Lynndie England tenant en laisse un prisonnier irakien dans les couloirs de la sordide prison d'Abou Ghraïb, non loin de Bagdad ? Cette image a fait le tour du monde et en juin de la même année elle a inspiré Salah Eddine Sallat, un artiste iranien. Copiée, peinte, agrandie et stylisée, elle a été représentée sur un mur d'une des rues principales de Téhéran à côté de l'image du non moins fameux prisonnier à demi-nu, debout sur un socle dans un couloir de la même prison, cagoulé d'un sac et vêtu d'un poncho noir effiloché, des fils électriques pendant à chacun de ses membres écartés[1].

---

1. Cette installation artistique a été prise en photo et exposée en Espagne. *Cf.* le catalogue de l'exposition, *Occident vist des d'Orient*, « L'Occident vu de l'Orient », Centre de cultura contemporània de Barcelona, texte en catalan avec une préface d'Abdelwahab Meddeb, « Politiques de l'image. Images de la politique » (*Politiques de la imatge. Imatges de la politica*), 2005.

Quant aux messages vidéo d'Oussama Ben Laden et de ses sbires, tous diffusés dans un premier temps sur des chaînes de télévision arabes (le plus fréquemment sur Al-Jazira) et repris sur des chaînes occidentales, ils n'étonnent plus personne et prouvent que la filière de leur acheminement n'a rien perdu de son efficacité. Le 19 janvier 2006, une cassette contenant un message du chef présumé d'Al-Qaïda, le premier depuis plus d'un an et demi, mettait un terme aux spéculations sur le décès du célèbre terroriste. Le monde ne tournant décidément pas rond, les paroles d'Oussama Ben Laden ont eu un impact immédiat sur le marché du livre aux États-Unis : dans sa déclaration, le chef terroriste enjoignait aux Américains de lire l'ouvrage d'un certain William Blum, obscur auteur gauchiste de 72 ans. Son livre *Rogue State, A Guide to the World's Only Superpower*[1] publié en 2000, sans avoir été remarqué, qui recense tous les « crimes » de la politique étrangère américaine depuis 1945, caracole en tête des ventes sur le site Internet www.amazon.com où il est passé en un week-end de la 106 598e place à la 26e !

1. Le livre (en français *L'État-voyou : un guide de l'unique superpuissance mondiale*, Parangon, 2001) a été édité par Common Courage Press, 2000, 320 pages.

Le 13 janvier 2006 un raid américain très controversé sur le village pakistanais de Damadola[1] (au nord des zones tribales limitrophes de l'Afghanistan) mettait fin, croyait-on, aux agissements de Ayman Al-Zawahiri, le numéro deux du réseau terroriste international ; mais le 30 janvier, Al-Zawahiri en personne s'exprimait à son tour sur Al-Jazira ! Plus résolu que jamais, le regard acéré derrière ses lunettes en plastique, le bras droit de Ben Laden proférait des menaces soulignées par un doigt accusateur en s'adressant à George Bush : « Je ne mourrai qu'à l'heure et de la manière décidés par Allah, et ni toi ni le monde entier n'y pourront rien changer. Tu te demandes où je suis ? Je suis parmi les musulmans et je bénéficie de leur appui, de leur attention, de leur générosité et de leur protection, ainsi que de leur participation au *djihad.* » Paroles de défi, transmission plus que rapide de la cassette incendiaire : n'est-ce pas un énième pied de nez à la CIA et à tous les services de renseignement du monde ?

Après cette plongée parmi les « islamistes » des trois pays responsables du déclenchement contre eux de la « guerre contre la terreur », je n'ai plus aucun

1. Ce raid aérien a provoqué la mort de dix-sept personnes.

doute : les millions de musulmans et d'« islamistes » confrontés quotidiennement aux conséquences de ce qu'ils appellent l'« impérialisme américain », sont convaincus que le monde occidental a perdu le sens des valeurs capitales et, notamment, la notion d'honneur, le sien et celui des autres. Un musulman considère le viol et le meurtre comme une atteinte à la dignité. Aussi ne peut-il concevoir qu'en Occident le viol ne soit pas puni à l'égal du meurtre. Il est clair aussi que la vie biologique devenue chez nous valeur suprême, ainsi que l'euthanasie, rendue possible dans certains pays européens, sont extrêmement choquantes pour un musulman. Bref, l'Occident ne se rend pas compte qu'ailleurs dans le monde il peut humilier, blesser et choquer.

À ces incompréhensions s'ajoute, dans les pays concernés, l'impression diffuse qu'un « club des riches » jouant le rôle d'un « gouvernement mondial » déciderait aujourd'hui pour tous les autres, passant outre l'altérité des valeurs, notamment religieuses. « Nous avons un besoin urgent de confiance mutuelle », martelait en février le pourtant très idéologue Tariq Ramadan à propos de la crise provoquée par les caricatures. Avant la confiance, la curiosité est nécessaire. Or porter un regard curieux et désintéressé sur l'autre n'est pas facile, surtout si, comme c'est le cas aujourd'hui, les musulmans peinent à produire un regard critique sur eux-mêmes (et sur la représentation que nous avons d'eux). Quoi qu'il en soit, il serait urgent que les Occidentaux s'imposent la même sévérité à propos d'eux-mêmes, des musulmans d'Europe et des musulmans en général.

TABLE

Composition
Paris PhotoComposition
75017 Paris

Achevé d'imprimer en mars 2006
par **Bussière**
à Saint-Amand-Montrond (Cher)
pour le compte de la librairie Arthème Fayard

35-57-3062-3/01

ISBN 2-213-62862-9

Dépôt légal : avril 2006.
N° d'édition : 69257. – N° d'impression : 061197/4.

Imprimé en France